Story Engineering

Mastering the 6 Core Competencies of Successful Writing

Larry Brooks

工学的ストーリー創作入門

売れる物語を書くために必要な6つの要素

ラリー・ブルックス 著　シカ・マッケンジー 訳

FILM ART
フィルムアート社

目次

第6章　コア要素　その5　シーンの展開

イントロダクション

「本の書き方」の本なんて山ほどあるから、もう要らない——僕はそう思った。「how to write a book（本の書き方）」とグーグルで検索すると一億二千八百万件もヒットする（僕の名前だと百三十八万件。小説の著書が五冊あっても大したものじゃない）。

新しい記事が一つ増えたって、何も変わらないだろう。

独自性があってわかりやすく、本当に役立つ情報でないと意味がない。新しい角度から、小説だけでなくシナリオ、回顧録や記事、エッセイにも使えそうなノウハウが望ましい。

ハウツー本なら超大御所のディーン・クーンツやデイヴィッド・マレル、スティーヴン・キングも出している。ただ、僕は「出版社が儲けるための企画だろう」と冷めた目で見てしまう。作家向けのセミナーを含め、技術の核心を突いたものはない（ストーリー作りは抽象的で、教えられないのかもしれない）。モデル（型、様式）と過程がはっきり説明されるのを、僕は聞いたことがない。

つまり、ストーリーのどこに何を書いて、なぜそれを書くべきかを説いた本がない。

ただそれだけが知りたいのに。

ハウツー本の大半は美的感覚重視だ

ストーリー創作には芸術的な面と同時に、工学的な面もある。その理論を教えてくれる場がない。「心を込めなさい」「人生の旅を描け」「テンポと文体を磨こう」などという助言はあっても、具体的な方法や手順は教えてもらえない。僕が尊敬するスティーヴン・キングでさえ「アイデアが浮かんだらとにかく書け」と著書『書くことについて』(小学館文庫、田村義進訳)で述べている。初稿は自分用で、後の稿は人に読ませるために書き直せ、と。

試しにやってみるといい。人が読んでわかるように書くことの難しさを度外視し、作家気分に浸ってみるといい。

物語は完成できず、また振り出しに戻るはずだ。

その方法はスティーヴン・キングのようにストーリーの型や機能、基準を熟知してこそ可能で、実は非常に効率が悪い。そんな苦労を選ぶかは自分次第だ。ストーリーを売るとなったら話は別で、いつも苦労がつきまとうけれど。

キングの方法は「パンツィング(seat-of-the-pants=経験と勘を頼りにする、即興で行う)」と呼ばれ、次の三つの条件を満たす人だけがうまくいく。(a)ストーリーの計画を練らなくても内容がつかめている(b)理想的な構成が自然にわかっており、何が必要か勘でわかる(c)即興で書いた原稿を直して仕上げる意志がある。大多数の新人がこの方法で苦労しているのだ。驚くことに、ベテランも多数いる。「続きが思いつかなくて」と原稿用紙を何度も破り捨てるのが自慢な人もいる。

プロのゴルフ選手がそんな方法を勧めるだろうか。「とにかくクラブを持って振れ。いつかわかるさ。フォームを知らなくたって三百ヤード飛ばせたらプロになれるぜ」と。

実践重視のアプローチと言えるだろう。

僕らは今、「プロ」の選手になる方法を考えているはずだ。プロの書き手になって著書を出版する方法だ。

フォームを知らずに頑張り続けてきた人は、もう悲しい現実に気づいているかもしれない。それでも「これが自分の書き方だから、他の方法は無理」と言い続ける。

道を選び、運命を選ぶのは自分だ。

その書き方がなぜクレイジーか説明しよう

スティーヴン・キングのように思いつきで書ける作家は物語の構成に通じている。熟練した外科医のように、身についた感覚がある。ストーリーの流れをうまく作り、よいタイミングで転換させながら初稿を書き、推敲して完成だ。彼らは原則に沿うものが即興で書ける。

構成の知識がない人にはできない書き方だ。書いているうちに混乱する。ぐちゃぐちゃになる。

それでも書き上げて出版社に送る人がいる。構成を知らないから、自分の原稿がぐちゃぐちゃだと気づかない。

僕は「即興で書かず、まずアウトラインを作れ」と決めつけてはいない。ただ、構成の原則を知ればアウトラインの有効性に気づくだろう。物語の大筋を決めておけば、後で何度も原稿を書き直さなくて済む。

書き方は自由だ

だが、ストーリーの「六つのコア要素」は自由に選べない。ゴルフのスウィングや外科手術の方法が決まっているのと同じだ。売れるストーリーには原則がある。早く知るほどいい。

大多数の人たちは、原則をまとめて習うチャンスがなくて夢が叶わずにいる。草稿前の計画が浅いほど深い墓穴を掘るのだが、みんなその墓穴さえ自覚できない。なぜ作品が却下されるかがわからないのはそのためだ。

僕がその理由を言おう。六つのコア要素のどれかが、先方が求めるレベルに達していなかったからだ。機能不全、あるいは凡庸なレベルだったからだ。飛行機だって一つの部品の整備が甘いと墜ちる。だが安心してほしい。ストーリーの「六つのコア要素」を知って活用すればいい。今からこの本で紹介しよう。

映画のシナリオ作家が知っていて、小説家が知らないことがある

どんなシナリオ術の本にも書かれていることが、小説術の本にない。何を書いてどこに入れ、どういう順序でつなげるか、ということだ。シナリオ術では表現の評価基準もはっきりしており、完成さ

せるためのノウハウがわかる。自由で臨機応変な印象がある業界なのに、設計の仕方とプロセスがしっかり説かれている。

作家は自分の小説が映画化される時、シナリオライターの作業手順が自分のものと違うことに気づくはずだ。だが、結局、考えるプロセス自体は同じだと認めざるを得なくなる。構成が固まるまで原稿をリライトするか、カードや付箋を使ってシミュレーションするかが違うだけだ。

この本ではシナリオ術と同じ原理に従い、用語に配慮しながら進めていく。シナリオの書き手はルールを不自由なものと考えない。彼らは効率的な創作の中で自由を感じる。小説家はあてもなくさまよいたがる。どうりで小説作法が漠然としているわけだ。

もう迷わなくて済む。

僕がこの本を書く理由

いくらアイデアや文体がよくても、物語にドラマ性をもたらす六つのコア要素が揃わなければ出版は難しい。

僕が誰に向けてこの本を書くかというと、あらゆるワークショップやハウツー本を試してもなお、自分の書き方の何が悪くて、なぜ売れないのかわからない人たちだ（物語を書き始めたばかりの人も歓迎だ）。

この本で紹介するモデルに従っても物語を書く難しさは変わらない。型が勝手に小説を作ってくれるわけでもない。プロゴルファーも技術を習い、ずっと戦い続ける。

どんな世界でも同じだ。

僕が小説やシナリオのワークショップを主宰してきた二十年間の集大成がここにある。紹介するモデル（作家として成功するための六つのコア要素）は僕がまとめたが、基本は誰もが知っていることだ。いわば真理で、僕の発明ではない。だが、この本のような「まとめ」は他になかったはずだ。

だから僕はこの本を書いた。のべ何千人ものワークショップ参加者の中には強く抵抗した人もいた。半信半疑の人もいた。だが、大多数がストーリー設計の方法と効果に驚き、納得し、取り入れてくれた。部分的に使ってあとは我流でも効率アップできる。「これまでに参加したワークショップの中で一番わかりやすくて役に立った」という感想が僕には一番嬉しい。中には苦節三十年に至る人々もいて、僕の背中を押してくれた。

僕自身も六つのコア要素を使っている。ストーリーの要素を知って設計図を描く方法は、伝える価値があると思い始めた。設計図と言っても、僕が提唱するのはクリエイティブな面やストーリー作りの楽しみを少しも損なわない方法だ。

僕も形式ばった書き方は大嫌いだ

だからこの本は堅苦しい内容ではない。「いや、やっぱり形式の押し付けだ」と思うなら、昔からあるミステリーやスリラー、恋愛、アドベンチャー小説の構造を見直してみてほしい。建物の設計や飛行機の操縦、外科手術にも形式がある。それが効果的だと実証されているからだ。僕もその考えに従い、ストーリーを出版可能なレベルに高める方法を説いている。

人間の顔を作る主要なパーツは十個ある。目が二つと眉が二つ。鼻と口。頬骨が二つ、耳も二つで、卵型や丸型の枠に収まる。それが顔の設計で、だいたい皆に当てはまる。ストーリーを作るパーツもほぼ同数だから面白い。

合計十一個しかないパーツを組み合わせるだけなのに、全く同じ顔の人は二人といない。一万人の顔を並べてみたら、双子以外はみな個性が違う。

個性は創造主の手から生まれる。十一個のパーツに工学的な過程を施し、芸術的な結果を生み出す。そこに学ぶべきだ。

ストーリーを作る時、僕らは神の役割をしなくてはならない

僕らも神のように、道具や型を使って組み立てる。何十億もの個性的な顔が十一個のパーツで自然にできるなら、僕らもストーリーの設計を「形式的」と毛嫌いするべきではないだろう。

形式的と思うからそう見える。ストーリー作りの原則や要素を意識することは違う。

原則や要素を知らないから長年苦しむ。今からこの本を読めばわかる。

僕は出版に至らない人々の原稿をたくさん読んできた。その中で、いくつかのパターンに気づいた。却下や落選の原因は、必ず六つのコア要素の中にある。

さあ、旅を始めよう

「好きに書いて何が悪い」という思いは忘れて、ストーリー作りの技術を学ぶ旅を始めよう。構成を練らずに書く方法がいかに非効率的で大変かも述べていく。

即興で書く時にも使えるチェックリストも掲載する。

過程はどうでも、完成度の高いストーリーはみな同じ着地点に到達する。六つのコア要素がすべて揃って満たされた状態だ。コア要素が揃わないストーリーは日の目を見ない。

六つのコア要素でストーリーを考える方法は、設計基準と構造から始めていく。即興で自由に書く方法は物語やアイデアから始まり、原稿を書きながら基準と構造を探る。偶然に頼る部分も大きい。

どちらの方法でも、六つのコア要素が働くまでストーリーは完成しない。

コア要素という呼び方をしなくても、本質的にそうだ。

本題に入る前に、もう一つ言っておく

僕が最初に出版した小説はニューヨークの出版社に原稿を持ち込み、一社目で契約が決まった。手直しや変更はほぼ求められず、USAトゥデイ紙でベストセラー入りした。僕にスティーヴン・キングのような知名度などあるわけがない。ただ、僕は六つのコア要素に従ってこの小説を書いた。わずか八週間で仕上げることができた。

後の四冊はやや自由に書いた。推敲して仕上げた初稿を送ったところ、編集者の意見を反映しての手直しは一時間以内で済んだ。一冊は業界誌パブリッシャーズ・ウィークリーで二〇〇四年の大衆向け市場のベスト本の中にランクイン。編集者推薦の一冊として、好意的なレビューも頂いた。

これから紹介するのは堅苦しい書き方ではない。自力で頑張らなくてはならない部分も多い。だが、原則とツールが揃えば実際にできる。

第1章

六つのコア要素とは何か……なぜ大切か？

1 ストーリー・モデルの力を知ろう

「ストーリーとは何ですか」と誰にも問われず作家人生を歩む人もいる。物語とはどういう意味か。何が物語で、何が物語でないのか。完璧に答えられない作家も多いはずだ。まずは彼らの集団から脱出してほしい。

何がストーリーで、何がストーリーではないか、心でしっかり捉えてほしい。白黒はっきり見分ける力と、グレーゾーンを知る力も必要だ。

「ストーリーとは登場人物だ」「葛藤だ」「テンションだ」「テーマだ」「プロットだ」。いろんな答え方がある。

どれも正しい。だが、単体で完璧な説明をするものはない。いくつか組み合わせても本質は見えてこない。キッチンテーブルの上に食材がばらばらに置かれたような感じだ。必要なのは、それぞれの持ち味をトータルで引き出すレシピ。ストーリーにもレシピが要る。

最高の食材を揃えたら調理する。煮る、焼く、揚げる、酢漬けにする。ストーリー作りも同じだ。

レシピがないまま書く人が多い。偶然料理ができて、レシピの必要性に気づかない人もいる。構成やストーリー作りの概念に気づいていない。

料理の手順を紙ナプキンや付箋にメモするように、アウトラインで概略をつかむ人もいる。何も書かずに脳内で考えるだけの人もいる。

どの人も、アイデアをどうストーリーにするか考えているわけだ。気づいていないかもしれないが、成功の鍵はドラマの原則にある。物語を作る要素やスムーズな機能、過程などに原則がある。これらが溶け合い一体化したものがストーリーを決める。

要素とは何か。原則とは何か。それをはっきり教えてくれるものは今までなかったように思う。描きたい物語の流れに沿って使えるモデルがほしい。

ビルを建てるには設計図が必要だ。物理や構造力学も必要だ。ストーリーにも似たようなことが言える。設計士と現場の技師が手ぶらで空き地に来て工事はできない。事前に打ち合わせをし、完成予想図を描く。詳しい設計図も描く。彼らは原理原則を熟知している。その共通認識の上で計画をすり合わる。

構造は頑丈でも、現場の事情で美的なビジョンを妥協することもある。完成したビルの外観は好き嫌いが分かれるだろう。それがアートの部分だ。崩れないビルを建てる技術と、かっこいいビルを作る創造力とは別だ。

ストーリー構成にも原則がある。それ以上の部分は言葉で表現しにくく、教えにくい。原則を知って書き、先方に「契約したい、読みたい」と思ってもらえるレベルに引き上げることはできる。だが、芸術的なセンスの問題は何とも言えない。

執筆に苦労はつきものだ。だが、賢く進めていける部分もある。

ストーリーの物理学

文章術で知るべきことは山ほどあり、複雑だ。しかし、それらを六つのカテゴリーに大別すると、謎めいたものの本質がはっきりと見えてくる。

つまり、それが「六つのコア要素」と僕が呼ぶものだ。これを使えば工学的に、スタジアムや高層ビルの建築技術と同じ理屈でストーリーを構築できる。自然の法則や長年の知識から抽出された真理で、建築の物理のようなもの。それが六つのコア要素だ。これに従って書くとつまらなくなるとか、作品の質が落ちるということはない。唯一失うものは、原稿を何度も書き直す手間ぐらいだろう。ストーリー作りを包括するモデルだ。

六つの要素をすべてプロのレベルに引き上げれば、出版社との契約も現実味を帯びてくる。芸術的なセンスはどうにもできないが、それは語っても仕方がない。プロと互角の力を見せてデビューを狙うなら、まずは六つの要素を使いこなそう。メジャーリーグの入団テストのように、大勢を引き離すほどの能力が必要だ。

六つの要素がどれか一つでも欠けたり、プロの水準に満たないレベルで済ませたりすると失格だ。六つの要素のモデルを指標にすれば、出版社が何を求めているかもわかるはずだ。

ストーリーを構築するモデル

「六つのコア要素」にはストーリーに必要な部品や技術がすべて揃っている。書き手として知るべきことを集め、包括的に秩序立ててストーリーを作ることができる。どんなストーリーにも使えるチェックリストもある。

わずかな例外はあるものの、世に出た小説やシナリオは六つの要素をある水準まで満たしている。六つの要素を意識せずに書いたものかもしれないが、大成功を収めた作品は理屈で説明しづらいぐらい、うまくまとまっている。巧みな技だ。

その逆もまた真実。六つの要素が揃わないストーリーは売れない。

ストーリー探しの作業

何度も原稿のバージョンを変え、書き足したり直したりした人もいるだろう。結局、探していたものは六つのコア要素のどれかだ。それらが揃わなければしっくりこない。書き直し続けるうちに、かえって全体を歪めてしまったことがあるだろう。「しっくりくる」とは具体的にどんな感覚がわかっていないからだ。完成した形が感覚的につかめず、理想的な形を否定的に見ていたり、完成する前に書くのをやめたりしていると、ストーリーは見つからないままだ。

何が必要で、どんな技術が必要かがわかれば、どれほど素晴らしいことか。僕は「書く前に準備しなさい」とは言っていない。「原則を意識し、理解しよう」と言っている。

スティーヴン・キングやアーサー・C・クラーク、ノーラ・ロバーツら多作な作家は完璧な小説をやすやすと創作するように見える。だめな原稿を前に慌てる姿は想像できない。手直しと言えば軽い推敲程度のはずだ。彼らは本能的に知っているのだ。優れたストーリーの法則も、六つの要素をページに反映させる術も。

残念ながら、その他大勢の人たちは違う。要素の存在にさえ気づかず、基準以下のレベルで落ち着いてしまう。

だが、それは過去の話だ。この本で、あなたは変わる。

実際、「才能」とは六つのコア要素の理解と活用にあるかもしれない。出版デビューを目指すのに美文麗文は必要ない。読みやすく、随所でなるほどと唸らせる巧みさがあればいい。あとは六つの要素でストーリーをしっかり作ってほしい。

迷いながら原稿を書く日々から脱出し、確信をもってストーリーを作ろう。六つのコア要素を意識すればストーリーがよくなり、初稿もまとまった形で書けるようになる。

それだけでも、取り入れる価値があるだろう。

2 「六つのコア要素」の全景を眺めよう

さあ、新しい道具箱を開けよう。中には「六つのコア要素」が入っている。部品とチェックリスト、基準も付いている。

僕の前置きが長いので、ページを飛ばし読みする人もいるだろう。それでもいいが、最初の出会いは重要だ。何も知らずに飛行機のコックピットや病院の手術室を見学しても意味がつかめない。それぞれの道具の機能や性質を知っておくべきだ。使い方を誤った時のリスクも、使い方をマスターした時に発揮できる力も知っておく。

だから少し時間をとり、ゆっくりと見ていこう。

ストーリーを生き物として見てみると

ストーリーはいろいろな気分を見せる。機嫌がいい日と悪い日がある。餌を与えて世話しないと弱る。印象を作る個性や資質がある。人間と同じだ。いいストーリーとは健康な人のことだ。元気に動かし成長させるには、体の仕組みや化学的なバランスを知らねばならない。

人が生きるには心臓や肺、脳が要る。肝臓や血管、消化器も必要だ。一つでも機能不全になれば臓器移植も必要かもしれない。ストーリーで言えば「書き直し」だ。その他の器官の不調で死ぬことはないが、体に何らかの影響が出る。

ストーリーが生きて動くためにも、正常に機能しないと問題が生じる部分と、その他の細かな部分で不都合が出る箇所がある。

全速力で走る人。または座って息をしているだけの人。あるいはプロ野球チームにドラフトで入団する人。出版社が採用したがるストーリーは、人でいうならプロ野球選手だ。体のパーツはすべて強くなくてはならない。ただ座ってごはんを食べるだけでも生きていけるが、それではプロになれない。プロとして出版するなら二流のストーリーではだめだ。強く、速く、試合の戦術に長けているべきだ。入団テストに全力で臨むライバルたちと競うために。

冴えないストーリーでも本になってはいるが、たいてい、有名作家のものだ。彼らに求められる基準やマーケティングのパラダイムは別にある。

ストーリーの基本要素と相互関係は心臓と肺、血液の働きと似ている。それを知らずにいくら書いて応募をしても望みはない。語り口が重厚でも、物語に必要な要素が不備なら著書は出せない。

頻繁に見落とされる要素は何か

ドラマ性や葛藤がない。どの人物にも共感できない。環境や場所の感覚がつかめない。テンポが悪い。心も魂も意味もなく、目的もない。ありきたりで新鮮味がない。そうしたものを書く人はストーリーに必要な臓器があるのを知らない。ストーリーが病んだ時の処置や対処もわからない。

ストーリーを生かす知恵は六つのコア要素が教えてくれる。六つの連携プレーを理解すればパワフルな道具になる。売れるストーリーを書くには欠かせない。

六つのコア要素だけでは生命は宿らない

理論上、人体のパーツをきちんと組めばフランケンシュタインのように人間が作れるはずだ。だが、魔法のような何かが起きないと命は宿らない。魔法なんて、と思うなら電気ショックでも超常現象でもいい。有機的な命の閃きが必要だ。その閃きを起こす方法を見つけなくてはならない。

心と魂、意味をストーリーに吹き込む閃きは黙っていても生まれない。六つのコア要素を理解した上で、閃きを得るように用いることが必要だ。

それまでストーリーは動かない。妥協できない部分だ。

二人の作家の話をしよう

このモデルを理解して使う人と、使わない人がいる。

後者はストーリーや登場人物のアイデアを思いついて書き始めるが、敵対者が登場する前にどんな設定が必要かがわからない。設定の意味さえ知らないかもしれない。設定が足りないと読者は物語に感情移入できないのだ。二百ページほど書いてから設定不足に気づいても、人物の成長、変化の軌跡を描くには遅い。テンポが不安定で、まだるっこしい部分が出る。サブプロットを考えるのを忘れ、サブテキスト（書かれた言葉の裏の意味）も足りず、テーマの本質が伝わらない。

好きな作家の本を読んでいる時は簡単そうに見えただろう。文体だって自分よりうまいとは思えない――勘に頼って書く人はそう感じる。かなりの分量を書いてからストーリーの破綻に気づき、最初から書き直す。あるいは破綻に気づかず書き続ける。

一方、六つのコア要素を知る人はそうした問題をすべて回避する。考える作業は大変だが、何をどう進めればいいかがはっきりわかる。基本原則に沿った原稿が書ける。ストーリー上の欠陥はないだろうから、表現を磨くことに集中できる。

どの要素を最初に考えるべきか？

六つのコア要素はさらに二つに大別できる。

◆四つの基本要素
◆二つの「書く」技術

馬鹿らしいほど単純に見えるだろう。だが、六つそれぞれにパズルのピースが多数あり、並べていくと結構な数になる。また、ピース一つひとつにチェックリストがある。ストーリー作りに関する事柄は、これら六つの要素のどれかにぴったり当てはまる。

野球の打撃には多くの原則と技術がある。投球にはさらに多くの選択肢と技術がある。守備はポジションごとに分かれ、走塁その他の戦略は攻撃と防御で状況に応じて変わる。打つ／守る／走る／投げる／ピッチングする、の五つの要素の技術が必要だ。一つでも弱いとプロになれない。

ストーリー作りも同じだ。ただ、要素が六つある。

3 「六つのコア要素」の中身を知ろう

文章術は世に出尽くした感がある。どう捉え、どう習得するかはさまざまだ。最終的にすべてが理解できればいい。

僕は六つのコア要素ですべての理解を目指している。大きく分類した後、細分化して基準を設け、物語の流れに注ぎ込めるようにしてある。

グルメな料理を作るシェフはレシピに従い材料を揃える。基本材料（エッグベネディクトなら卵とハム、イングリッシュマフィン、オランデーズソース）に、何かを独自に足してもいい。だが、基本に反することはせず、いつ、何を混ぜ合わせるかも決めている。ハムを焼き、ソースを作りながら、半熟卵を用意する。イングリッシュマフィンを温める。

それらを一つに合わせて完成だ。

シェフが他に付け合わせを作るなら、調理の手順はやや変わる。それでも基本は崩さない。

ストーリーの材料は六つのコア要素の中にすべてである。ジャンル（「コンセプト」）も設定（「シーンの展開」）も、バックストーリー（「人物」）もある。サブプロット（「構成」と「コンセプト」）も入っている。

まず、それぞれの材料を容器の中で下ごしらえするが、互いの関係をよく知る必要がある。「テーマ」とプロットは「人物」のアーク（変化）、「構成」ともつながる。「コンセプト」は「テーマ」を描く舞台を作る、といった具合だ。

六つに分ければわかりやすいし、相互のつながりも考えやすい。そうしないと「カオスを描きたい」「愛とは何かを描く」といった抽象的な考えから抜け出せない。

詩を書くならそれでいい。ストーリーは別だ。

「なぜ六つに分けるのか」と戸惑う人は、今まで読者として物語を読んできても、書き手の工程を見たことがない。完成した作品からは要素の分別がしにくいのだ。六つのコア要素方式は完成前に要素をチェックし、それぞれを最も高いレベルに高めることから始める。基本材料に当たる四要素の機能性や魅力を確実なものにする。表現面の二要素も磨いてプロのレベルに引き上げる。

要素が揃った後にもチェックリストを設け、さらに詳しく検証する。

売れるストーリーはすべての基準を満たしている。作者は自覚していなくても、作品がそのように仕上がっている場合もある。どんな分野でも感覚で技術を体得する人はいる。だが、失敗をしないで実践し続ける方がずっと難しい。ストーリーを作る過程で悩んでいる人は、ぜひ六つの要素を試してほしい。

このモデルが書き手を喜ばせる理由

六つのコア要素の価値にすばやく気づくのは、ストーリーを考えるのに苦労する人や応募原稿がなぜ却下されるかわからないでいる人だ。

このモデルはわかりやすいレシピのようだ。何を書くか、流れをどう組むか。根本的なことなのに、迷いやすい。コア要素によってその迷いに対する答えが見つかる。

また、計画をせずに即興で書き、長年行き詰まっている人ほど、このモデルの支持者になってくれる。しっかりした構成の枠の中で表現する自由を実感してくれるからだ。

六つのコア要素は公式ではない。要素の基準と構成を示す。

ストーリーには仕組みがある。それを離れて他の方法を考え出すのは無理だろう。

コア要素一つで一冊の本が書ける

スティーヴン・キングの『書くことについて』のような自分語りの著書を除き、たいていのハウツー本は一つの要素について書いている。だが、すべての要素のつながりを知るまで迷いはなくならない。

ひらめくままに書きたい人にも、要素の知識は役立つだろう。

六つのコア要素をざっと紹介しよう。

1コンセプト――ストーリーの土台となるアイデア。「もし〜だとしたら？（what if?）」という問いで表すとはっきりわかる。その問いの答えが新たな「what if?」を生み、枝分かれして層を作る。いろいろな選択や問いへの答えが集まってストーリーになる。

2人物――ストーリーには主人公が必要だ。読者に好かれなくてもいいが、感情移入できるように設定する。

3テーマ――抽象的だが明確にできる。コンセプトとの違いに注意。テーマとは「世の中の何を描き出すか」だ。

4構成――物事を伝える順序とその理由。勝手に崩せない型がある。それを知るのが出版への第一歩だ。

5シーンの展開――競争に勝つための実戦能力。ストーリーはシーンをつなげて作る。シーンの展開にも原則とガイドラインがある。

6文体――建物の塗装や人の服装のように、表面を飾るもの。文体がストーリーの邪魔になれば本末転倒だ。控えめにするほど多くが伝わる。個性的な文体や細かな描写で書く部分を限定すればさらによい。

ストーリー作りの要点はこれですべてだ。最初の四つは「ストーリーの成分」、後の二つは「実践」だ。六つすべてをマスターしよう。一つでも弱いと作品全体に影響し、落選や却下につながる。一つが全くなければ挽回は不可能だ。目指す水準は高い。今から梯子をかけて上っていこう。

4 ストーリー作りを始めよう

どの要素を最初に作るか

要素を考える順番は問わない。赤ちゃんと同じで、誕生までに健康な臓器が全部揃えばＯＫだ。ということは、いつも最初に出来上がるものがあるだろう。ストーリーに命が宿ると次々に考えが生まれ、徐々に形をなしていく。最初にできるのは「コンセプト」「人物」「テーマ」「構成（比較的少ない）」の四要素のどれかだ。どれが最初でもかまわない。残りの三つは後でついてくる。

よくあるのは「コンセプト」。その前に「人物」を思いつく時もある。ある人やヒーロー、悪者の話が書きたいな、と思った時だ。人物が何をするかはまだ未定。ただ、イメージや簡単な経歴が頭にある。シャーロック・ホームズがそうかもしれない。アーサー・コナン・ドイルは名探偵ホームズの人物像を思い浮かべ、後から犯罪推理の話を作ったに違いない。

「もし〜だったら？（what if）」という好奇心がストーリーに発展する時もある。クライブ・カッスラーは「もしタイタニックを海底から引き揚げるとしたら？」と思って『タイタニックを引き揚げろ』（新潮社、中山善之訳）を書いたとも考えられる。実は、この小説はエリート軍人ダーク・ピットを主人公とするシリーズ三作目。「人物」ありきの作品だが、「コンセプト」の素晴らしさが際立っている。

みんな何かを最初に一つ思いつく。ただし、まだ原稿を書くのは早い。すべての要素を揃えてからだ。もう少し、最初に思いつくものの話をしていこう。

ある「テーマ」についての物語が書きたい時もあるだろう。特定の話題や分野に興味があるが（カルチャーや場所、環境など。例：『ラブリーボーン』、ジョン・グリシャムの『法律事務所』、映画『トップガン』）、ストーリーや主人公は決まっていない。テーマに「コンセプト」と「人物」を足せばストーリーの方向性が見えてくる。それまでは漠然としたままだろう。

ダン・ブラウンの『ダ・ヴィンチ・コード』（角川書店、越前敏弥訳）は「コンセプト」起点の印象が強い。一つのアイデアをめぐって興味深い「what if?」があり、そこから次々と説得力のある問いが出されている。もし、ダン・ブラウンが最初に「コンセプト」を思いついたなら、次に「人物（主人公）」を作り、「テーマ」に合う風景を描き、「構成」でつないで四要素を揃えたのだろう。残る「シーンの展開」と「文体」の表現力も駆使して六要素を満たし、見事三億ドルの印税を手に入れた。

だが、実は『ダ・ヴィンチ・コード』はロバート・ラングドンシリーズ『天使と悪魔』に続く二作目だ。これも「コンセプト」より先に「人物」があった。一作目からの引き継ぎは主人公ラングドンとカトリック教会の問題ぐらいしかない。二作目には新たな「コンセプト」「テーマ」「構成」の三要素が足され、ストーリーが展開している。

僕らはみんな、この過程をたどる。四要素の一つを思いつき（たいてい「コンセプト」か「人物」か「テーマ」）、残りの三要素を加える。それがストーリーを考えるということだ。

何を一番に思いついたとしても、最終的に四要素が揃って機能すればいい。

ダン・ブラウンは『ダ・ヴィンチ・コード』執筆よりもずっと前から「コンセプト」や「テーマ」を練っていたかもしれない。それに「人物（主人公）」を編み合わせて初めて、ベストセラー級のストーリーが書けるのだ。

多くの人が犯す大きな間違いがある

それは「アイデアが浮かんだ途端に書き始める」ことだ。四要素が揃わない、あるいはきちんと練られていない状態のまま、手探りで書き続ける。四要素を練ってから書く人は違う。「人物」や「テーマ」を探求しながら「構造」が安定した初稿を書き上げる。

四要素が存在感とバランス、パワーを得るまでストーリーは機能しない。それを鋭い勘で知る人はスティーヴン・キングなど少数派だ。彼は「すぐに書け」と言うけれど、執筆の前後や過程の中で、すべての要素に深い意識を向けることを忘れてはならない。

アイデアはどこから生まれるか

「どこからアイデアを得たらいいか」とよく尋ねられる。夢や空想、長年の悩みがアイデアを生む時もあるだろう。

すべては「コンセプト」「人物」「テーマ」「構成」のどれかに当てはまる。自分のアイデアが何の要素で、残りの三要素が何かを把握しよう。「失業の話が書きたい！」と思った途端に「人物（主人公）」が思い浮かぶことも多い。これら二つを練りながら、三番目、四番目の要素を考えるとなると、かなり大変になってくる。

ほぼ同時にいくつも案が浮かぶのはいい兆候だ。すぐに四つの要素が想定できれば興奮するが、まだ原稿は書かないでおこう。料理を始めた後で「あ、バターがない」と気づくことがないように、ストーリーの材料の確認作業が必要だ。

誰でもすごいアイデアを一つは思いつく。残りの三つを作れるかが問題だ。そして、すべてがつながるよう調整できるか。書き手は世界を創る神の役割をしなくてはならない。

そこに苦労がある。神に手抜きは許されないからだ。

この方式の裏づけ

「六つのコア要素」を用いた書き方に定型はない。方法論より「何を知り、何を実行するか」に焦点を当てている。

好きなように書いていい。六つのコア要素を知れば効果的に、効率的に書けるだろう。そうしなければ、特に初期の原稿は難航する。書きながら要素を探らねばならないからだ。

練ってから書くか、書きながら練るかの違いだが、この方式を使えば基礎が整った原稿が書ける。表現力やセンスは自分次第だ。六つの要素の中でも「構成」を知れば、執筆前にいろいろなポイントを計画したくなるだろう。メモやアウトライン作りに夢中になるかもしれない。知れば人は変わる。なすべきことを知れば、納得して準備ができる。

パイロット候補生は計器や勘を頼りに操縦するが、レーダーやフライトプランの存在を知ると、効率や安全への意識が一気に芽生える。六つのコア要素はそういう感じだ。昔のパイロットは「勘がすべてさ。今はつまらんね」と一蹴するかもしれないが、飛ぶ楽しさは変わらない。プランの立て方を知れば自信をもって目的地へと飛び立てる。

ストーリーの転換点だけを決め、後は自由に書くスタイルも人気だ。それも結局、六つのコア要素を揃える点では同じ過程をたどる。ストーリー作りとは選択肢の中から選んで発展させ、ドラマ性やペースを高めようとすることだ。人物に最高の冒険と成長を与えることを目指して。

僕らはみなストーリーを「探す」。六つのコア要素が示す完成レベルに合わせ、しっかり適用するほど効果と効率も上がる。

第2章 コア要素 その1 コンセプト

5 コンセプトの定義を知ろう

ストーリーの定義は前に述べた。調理師学校の教室で「食べ物とは何か」と問うみたいだが、答えが曖昧だから活躍できない人が多い。何年も勉強し、多くの原稿を書いてきた人でさえ、ストーリーの形になっていない作品を平気で応募する。単なる人物描写だけの作品、あるシチュエーションを描いただけの作品が多い。

ストーリーとは何か、知っているのが当然のように思うが、そうではない。

コンセプトも同じだ。

コンセプトの定義は難しい。作家たちの間でも誤用が多く、誤解されやすい。アイデアや前提とは少し違う。テーマとは随分違うから、さらにややこしい。

アイデア、コンセプト、前提はどれもごちゃまぜで使われる傾向にある。軽い会話の中でなら目くじらを立てなくてもいいが、ストーリーの本質を知るためにしっかり区別しよう。

コンセプトのようでいて、そうでないもの

コンセプトは六つのコア要素の一つだから妥協できない。高尚である必要はないが、しっかり機能するものを据える。コンセプトとアイデアの違いがわかっても、まだアイデアだけを考え続けるなら先は見えない。

例を挙げよう。「フロリダへの旅」はアイデアだ。「ドライブの道中で通りかかる国立公園にすべて立ち寄る」とするとコンセプトになる。「この旅で、頑固な父と仲直りする」は前提だ。

小説に当てはめてみよう。「海底からタイタニック号を引き揚げる物語」というアイデアを得たとする。「船に隠された秘密を隠蔽しようとする者たちの存在」はコンセプト。「主人公は国を危機から守る任務を命じられる」は前提だ。

それが『タイタニックを引き揚げろ』だと思う。著者に無断で例としたことをお詫びして、先に進もう。

アイデアとコンセプト、前提は似ているが違う。ストーリーの計画を立てる時はその違いが重要だ。アイデアとコンセプトは「パン」と「世界で最も美味なブリオッシュ」ほど違う。どちらもパンはパンだが、ブリオッシュはいわばステロイドで増強されたパンであり、見栄えまで立派に作られる。単なるアイデアである「パン」と区別すべきだ。アイデアを物語用に進化させたのがコンセプト。物語の土台になり、舞台になるものだ。

コンセプトは「問いを投げかけるもの」と思ってほしい。その問いの答えがストーリーになる。「バレエダンサーの物語」はただのアイデアだ。そこから思考を進め、問いを提示するとコンセプトになる。「脚を切断したバレエダンサーは偏見を克服してプロの踊り手になれるか」というように。最初に浮かんだアイデアは必ずコンセプトの核として残る。だが、コンセプトはアイデアよりはるかに多くを含む。

例を見ればわかるように、アイデアを広げたもの（コンセプト）は物語をスナップショットのように見せてくれる。問いを見た僕らは「答えはこうじゃないかな?」と考える。その答えがストーリーの内容だ。アイデアの段階では問いも舞台も見えず、ストーリーにならない。問いかけて初めてコンセプトになる。

コンセプトの段階では人物が何をして、何を目指すかを決める。これがプロットへの窓口になる。人物らの対立関係とストーリーの転換点を決めるとプロットになる。

アイデアの段階で「裏切りの物語が書きたい」「依存症からの回復を描きたい」「大企業に渦巻く欲望を描きたい」と思う時もあるだろう。これらはテーマだ。まだコンセプトにはなっていない。

アイデアとして「戦闘機パイロット」「浮気をする夫」「悪徳弁護士」といった人物を思いつく時もある。それだけなら、まだテーマもコンセプトもない状態だ。

アイデアが「一九八〇年冬季五輪の米国ホッケー選手団の物語」「癌を克服した人の話」といった場合は時系列的な構成になってはいるが、これも、まだテーマや人物、コンセプトになっていない。

アイデアは四要素（コンセプト／人物／テーマ／構成）のどこからでも生まれる。しっかりした要素になるまで発展させ、他の要素を追加しない限り「ただの思いつき」で終わる。

展開戦略としてのコンセプト

「一九八〇年冬季五輪で米国ホッケー選手団が金メダルを獲得する物語」はコンセプトのように見えるし、実話でもある。それを物語として描くにはコンセプト的な展開戦略が必要だ。例えば一人の選手の視点（ゴールキーパーやコーチなど）で捉え直すとコンセプトに発展できる。「もし一九八〇年冬季五輪のホッケーチームを、リーダーであるゴールキーパーの視点から、いきいきとした体験として描くとしたら」というように。

すると、ストーリーができる（二〇〇四年にカート・ラッセル主演の映画『ミラクル』としてヒット）。最初のアイデアだけならそこまでいかない。

映画会社の内部には「お化け屋敷の映画」や「潜水艦の映画」など漠然としたアイデアが山ほどある。それをストーリーにする際、脚本家を雇ってアイデアのコンセプト化から始める。

大ヒット小説『ラブリーボーン』の著者アリス・シーボルドはプロットの展開だけでなく、見事なコンセプトを立てている。起点としてのアイデアは「天国の話」だ。コンセプトは「天国にいる人物の打ち明け話が殺人犯を探す話に発展する」。最初のアイデアには物語の土台を作る深みがない。

このコンセプトを問いにしてみよう。「もし、未解決の殺人事件の被害者が、天国から遺族を助けて事件解決を目指すとしたら？」

これならストーリーになる。ちなみに書籍は一千万部を売り上げた。

コンセプトとアイデア、前提、テーマ

引き続き『ラブリーボーン』のコンセプトを見てみよう。アイデア、前提、テーマはみな違う。アイデアはコンセプトの一部で、コンセプトは前提の一部。コンセプトがなければストーリーにならない。

「もし〜なら？」という問いを作ればストーリーが見えてくる。コンセプト化したからだ。それを「アイデア」と呼んでもいいが、ステルス機を「飛行機」、脳外科手術を「手術」と呼ぶに等しい。コンセプトはアイデアより多くを含む。一般的な会話で「アイデア」と気軽に言うが、そんなふうに漠然としたままでは物語を紡げない。

コンセプトに人物を足すと「前提（プレミス）」になる。コンセプトの拡大版だ。「もし天国の語り手が自分が殺された時の話をしたら？」はコンセプト。「ある十四歳の少女が殺されて天国に行くが、犯人はいまだに見つからない。遺族の苦悩を知った彼女が霊界から真相究明の手助けをしようとしたら？」と書けば前提になる。主人公の旅が明示されているからだ。どこまで具体的にするかの違いだが、書き手は理解しておくべきだ。

テーマはこれとは全く別だ。後に詳しく説明するが、テーマとは「ストーリーが伝える意味」を指す。タイタニック引き揚げの物語は自分にとって何を意味するか。社会や暮らしの何を浮き彫りにす

るか。この物語によって何を考え、何を感じさせられるか。これらの問いを考える時、僕らはテーマの話をしている。

アイデアがテーマと結びつく時もある。ジョン・アーヴィングは「妊娠中絶の話」というアイデアに孤児や医師、近親相姦の問題などを加えてコンセプト化して『サイダーハウス・ルール』を書いた。

用語を覚えるのは面倒かもしれないが、違いがわからなければ効果も効率も得られない。アイデアだけを得て書き始めれば、コンセプトを確立するまで難航する。コンセプトなしに書く人もいるが、作品が世に出ることはないから存在自体が表に出ない。意識するのがテーマだけだとエッセイか論説のようになり、プロットや人物を後づけしてもうまくいかない可能性が高い。

六つのコア要素でそれぞれの焦点をはっきりさせよう。アイデアをしっかりしたコンセプトに発展させる必要性がわかれば大きな進歩だ。

最初の思いつきがすでにコンセプトになっている時もあるだろう。その場合、他の要素と関連づけて進めばいい。

6 コンセプトの評価基準

コンセプトと「ただのアイデアやテーマ」の区別はついただろうか。ただのアイデアだけではストーリーが作れない。また、テーマとコンセプトは別物だ。「え、何だっけ？」と思ったら前の節に戻って復習しよう。大事なことだ。

確認ができたら、コンセプトの評価基準がすんなり頭に入ってくるだろう。

そのコンセプトは新鮮で独自性があるか？

当然とも言える質問だ。「ゴッホの絵画に隠された秘密」や「客船ルシタニア号を海底から引き揚げる」では二番煎じになってしまう。

ジャンルも考慮してほしい。殺人ミステリーや恋愛小説で新鮮なコンセプトとは何か。そのジャンルにありがちな展開にならぬよう、舞台設定も視野に入れて掘り下げよう。

クライブ・カッスラーは「海底アドベンチャー小説」というアイデアから「タイタニックを引き揚げる」というコンセプトを立てた。そのコンセプトはこの後に掲げる評価基準をすべて満たし、前代未聞の冒険スリラー小説に仕上がっている。

「こんな話を書くつもりだ」と話しているうちは、まだアイデアの域を出ない。「殺人ミステリーで被害者は弁護士で、証拠を見ると妻が容疑者」と詳細を加えても足りない。

別のアイデアを例に、掘り下げてみよう。未解決事件に新しい証拠が見つかり、刑事が再捜査に乗り出す。「未解決事件のストーリー」はただのアイデアでしかない。だが、「二十年前に解決した事件についてロサンゼルス市警の証拠隠蔽と冤罪が判明し、人種間の摩擦と暴力がロドニー・キング事件勃発へとつながる」とすると素晴らしいコンセプトだ。これはマイクル・コナリーの小説『終決者たち』(講談社文庫、古沢嘉通訳)のもの。ベストセラーだ。

コンセプトに深みがあり、説得力もテーマ性もある。

コナリーのコンセプトは読者の感受性に訴える。テーマに社会性があり、実際にあった事件(警察官がロドニー・キング氏を暴行する姿が録画されていた)にも触れている。読者は主人公と共に人間的なテーマを考え、感情を揺さぶられる。コナリーは力強いコンセプトから豊かなテーマを描き出すため、常にミステリー作家の上位にいる。

ネルソン・デミルの『ナイトフォール』(講談社文庫、白石朗訳)も一九九六年に実際に起きたTWA八〇〇便墜落事故からコンセプトを立て、推測を含めたプロットを構築し、優れたストーリーに仕上げている。よく知られた陰謀論も下敷きにしている。

コンセプトにエッジを効かせ、具体性を盛り込むほど豊かなドラマが生まれる。だが、シンプルなドラマに仕上げてもいい。チャールズ・フレイジャーの『コールドマウンテン』（新潮文庫、土屋政雄訳）は南北戦争から帰還する兵士がコンセプトにある。『ラブリーボーン』のような独自性はないが全米ベストセラーになった。こまやかな人物描写とテーマ、安定した語り口が成功の理由だ。

コンセプトは「ただのアイデア」でなく、魅力と独自性があるほどよい。コンセプトにエッジがないなら、他の五つのコア要素で補おう。

地味なコンセプトながらベストセラーとなった『コールドマウンテン』などは、抜群の筆力自体がコンセプトになっている。


そのコンセプトが平凡なら、普遍的なテーマに新たなひねりを与えているか？


言い換えれば「どれだけストーリーを深く掘り下げるか」だ。コンセプトが平凡なら、斬新さや意外性、好奇心をそそる何かが必要だ。

ジャンルものには一定のファンがいるから、平凡な内容でもある程度は売れる。だが、トップレベルの作品は常に新鮮さや驚きを組み込んでいる。

ＴＶドラマ『ジェシカおばさんの事件簿』がそうだ。小柄な老女が殺人事件の謎を解く。面白そうだが、コンセプトとしてはそれほど強くない。ただ、苦み走った中年刑事の代わりに、隠居しているおばあちゃんが活躍するのが新鮮だ。

平凡なコンセプトにひねりを加えるのはそう難しくはない。本当に「へえ、面白い」と言わせることができたなら、編集者や読者の評価も高まる。

そのコンセプトは魅力的か？

「新鮮で独自性があって、斬新なひねりがあれば魅力的なはず」と思うだろう。さらに魅力が必要だ。主人公が奮闘するシチュエーションやエキサイティングな夢、課題を与えよう。

出発点は「アイオワ州の農場で育ったおばあちゃんの話が書きたい」でもかまわない。具体性のあるアイデアだからコンセプトに発展できる。だが、商業的なセールスポイントはない。「だから一生懸命、魅力的になるよう書きます」と作者は言い、おばあちゃんの生い立ちや魅力を書くだろう。語り口の力は偉大だ。

しかし、コンセプトの段階で打ち出せないものを原稿に書き表すのは難しい。執筆しながら魅力を探さねばならない。コンセプトに注目して考えを練ってから文章表現に持ち込もう。

そのコンセプトはドラマが展開しやすい舞台を作るか？

コンセプトは練るほどにレベルが上がり、枝分かれし、時にはいい意味で下降し、よりパワフルになってくる。僕らが最初に思いつくのはたいてい「ただのアイデア」だ。それを叩き台にして厚みと可能性を加えていく。

「コンセプトを上下させる」とは何か、例で説明しよう。クライブ・カッスラーが「古い沈没船を引き揚げる物語」というコンセプトを立てたとする。現時点では何の船かも決めていない。ふと、「その船はタイタニック以外にない」と思いつく。ここでコンセプトの付加価値が上がり、レベルが上がる。その後「引き揚げると、ある秘密が暴露されて困る者がいる」というアイデアを得るとする。敵対勢力の存在はストーリーラインを掘り下げ、下方向への付加価値が出る。

作り立てのコンセプトの可能性は未知数だ。上下の方向にいろいろと付け足し、吟味しよう。

これはドラマの舞台設定を考えるため。ストーリーの基礎を作る重要な段階だ。その後の流れを説明すると、こうなる——フック（つかみ）と設定を提示した後、主人公が動き出す。彼の望み（生存や復讐、幸福、平和、富、正義など）を提示し、困難を乗り越えて望みを叶え、勝利する（または、しない）。主人公にいろいろな障害を与えるため、敵対者だけでなく主人公自身の悩みも設定する。

これらはすべて、優れたコンセプトがあれば、すんなりできる。

先ほどの「アイオワ州のおばあちゃんの物語」には夢も冒険もない。葛藤もなさそうで、エネルギー不足の印象だ。

それでも大胆に掘り下げればたいていは解決できる。掘り下げても無理なら、そのコンセプトはやめるか、他の要素で補うかだ。

アイオワ州のおばあちゃんが青春時代に医者を目指していたならどうだろう。当時は女性が職業をもてなかった時代、あるいは学費や手段が得られない事情があった。独学で何かを発見し、誰かの命を助けて権力者の目に留まる。その権力者が彼女の進学や奨学金授与に反対だったらどうだろう。世間の偏見や嫉妬が彼女を苦しい立場に陥れるとどうなるか。人生の岐路で家族か婚約者（サブプロット）の二者択一に迫られたらどうなるか。

最初のアイデアに上下の方向で案を加えると、華やかで充実したコンセプトになってくる。アイオワ育ちのおばあちゃんの物語には変わりない。実話にもとづくストーリーなら、魅力的な事実を抜き出し、本人を知らない読者が読んでも面白いレベルに引き上げる。

ストーリーの終着点を決めて語ればパワフルなものにできる。その第一歩がコンセプト作りだ。

そのコンセプトは他の三要素につながるか？

大学時代、僕は授業である物語を書いた。最高のコンセプトと自負していた。妻の浮気を嗅ぎつけた男が密会現場のホテルに行き、裏口から階段を昇る。その日は壁が塗装中で、階の表示はペンキの下地で見えない。彼は自分で階を数え、電話の盗聴でつかんだ階に行く。客室のドアを蹴破り、ベッドの上の男女をいきなりショットガンで撃つ。

ただ、彼は一つ忘れていた。たいていのホテルは十三階がない。彼が一五〇一号室と思った部屋は一六〇一号室。彼が撃ったのは新婚旅行中の男女だったと後でわかる。

M・ナイト・シャマラン級のすごいどんでん返しだ、と僕は思っていた。

授業で教授は「みんなに読んで聞かせたい作品がある」と言った。思った通り、僕のだった。僕は立ち、全七ページの名作を朗読した。読み終えた僕は得意顔だった。

とんでもない間違いだった。みんなの前で、僕は教授にボロカスに言われたのだ。意味も値打ちもないギミックだけの話で、現実感もない。言い回しやコンセプトは低俗そのもの。そもそもコンセプトとは気の利いた仕掛けを指すのではない、と教授は言った。

あの日のことは忘れられない。ストーリーの魅力はうまい言い回しでもコンセプトでもない。コンセプトの中で人物が動き、テーマを読者の心に響かせるべきだ。

これを基準にしてほしい。凝ったアイデアやどんでん返しではなく、もっと大きく素晴らしい世界を描く舞台が用意できるかを考えよう。

数年前、僕はあの有名なロバート・マッキー氏の映画脚本セミナーに参加した。彼はM・ナイト・シャマランの『シックス・センス』を酷評していた。この映画は六億ドルもの興行収入を得たが、コンセプトが人物にもテーマにも結び付いていない、と言っていた。「もし、自分の死に気づいていない男の視点で世界を見たら？」がコンセプトだが、その理由が観客には全くわからない。はらはらする要素がなく、主人公にも感情移入しづらい。いったい何が起きているか、最後までよくわからないからだ。巧妙なエンディングだけが売りである。その後、シャマランが発表する作品は徐々に売れなくなっていった。トリック重視のコンセプトばかりでは、いずれ観客はそっぽを向く。

彼のコンセプトは人物やテーマとつながっていなかった。

そのコンセプトは簡潔な「what if?（もし～なら?）」で表現できるか?

これは最も重要な点かもしれない。理由は二つある。

まず、豊かで魅力的なコンセプトは必ず「what if?」という問いで表せる。問いにすれば明確さが増す。よい質問は答えを強く求める。その答えがストーリーになる。

次に、「what if?」の問いから新しい問いが生まれる。連鎖的に広がり、ストーリーのアップダウンが見えてくる。構成の転換点も探せるし、各シーンの構想にも使える。

ダン・ブラウンはキリスト教の真実を問うために『ダ・ヴィンチ・コード』を書いたわけではないだろう。ご本人に確認する術はないが、「what if?」効果の例として使わせていただこう。彼の「what if?」が「もしレオナルド・ダ・ヴィンチが『最後の晩餐』にキリスト教や聖書の真相を描き入れていたとしたら？」だとすると、それだけですべての基準に合格だ。独自性と魅力があり、壮大なドラマの舞台設定も可能で、新たな「what if?」がどんどん生まれそうだ。

この「what if?」が出発点だったかどうかはわからない。「what if?」の魅力はそこにある。完成作品に深みと豊かさ、まとまりがあれば、何が出発点かは見えにくい。一つの問いからあらゆる方向にコンセプトが広がっているからだ。上向きに高めてハイ・コンセプトに、前進させて物語のディテールへ、下向きに掘って人物やテーマのニュアンスを深める。

『ダ・ヴィンチ・コード』には魅力的な「what if?」が多数ある。最初の二、三個はコンセプト的にハイレベル。後は下向きに掘り下げながら、ストーリーの転換点をあぶり出している。

◆もしキリストが十字架で処刑されていなかったとしたら？　キリスト教のすべてに作為があり、陰謀につながる秘密が隠されているとしたら？
◆もしその秘密を守る地下組織があったら？　真実に近づく者の命を狙うとしたら？
◆もし他にも秘密があったら？　聖杯はイエスの子を宿したマグダラのマリアの子宮を意味するとしたら？　もしその子孫が今日でも生きていたら？

◆もし秘密を知る一派が別にあり、レオナルド・ダ・ヴィンチもその一員だとしたら？　彼が『最後の晩餐』に手がかりを残していたら？

◆もしルーヴル美術館の学芸員が何かを知ってしまったために殺されるとしたら？　暗号解読のヒントと犯人の手がかりを自分の血で書き残したら？

◆もし聖職者の一派が欺瞞と陰謀を暴露しようとして、命を狙われているとしたら？

◆もし主人公が学芸員のメッセージ解読を依頼され、自分が犯人に仕立て上げられていると気づいたら？

◆もし彼の協力者である女性が素性を偽っていたら？　もし彼女が誰よりも真実に近い存在だったら？

◆もし知人が協力者のふりをして主人公を操り、真実を証明させてから殺そうとしていたら？

このように『ダ・ヴィンチ・コード』の「what if?」はどんどん続く。これを見ればすべてのシーンも転換点も書けそうなほどだ。

基準をストーリーに適用する

「what if?」の連想のしかたがわかったら、流れの方向を見つける。コンセプトを高める上向きの方向か、深みをもたせる下向きの方向か。

非常にいい方法だが、ずっと続けていると飽和状態にたどり着く。何もかもが魅力的に見えてくる。だが、何かを捨てないと収拾がつかない。

何を残し、何を捨てるかでストーリーの運命が決まる。本能と経験、六つのコア要素の評価基準を使ってほしい。

コンセプトは構想段階のどこかで立てなくてはならない。登場人物やテーマ、出来事だけを思いついただけで原稿を書かず、コンセプトを発展させる時間を設けよう。「what if?」の問いをたくさん作ってみてほしい。

「意外といいアイデアじゃないか」と嬉しくなるかもしれない。

または頭から血が出るほど考えてもダメで、「こりゃストーリーにはならないな」と気づくかもしれない。

どちらにしても、原稿を書く前に気づく方がいい。

7 コンセプトのよさを確認しよう

コンセプトの基準をすべてチェックしても、まだ安心はできない。応募や持ち込みをする前に、自分で合否を判定すべきだ。人の意見も参考になるが、最終的には書き手自身の判断だ。

いくらディテールに凝ろうと、肝心のアイデアが力不足ならどうにもならない。おそらく作家は「はっきり言ってもらえない職業」第一位。却下されて初めて「ダメだったんだ」とわかる。

出版を目指すにはリスクが伴う。「なんとなく売れそうなものを書いてみる」というのも危険だ。他の作家の真似や流行への追従、商業路線を狙うのも危険だ。

そうした魂胆で書くとたいてい失敗する。ストーリーがもつ「売れる力」は自分で計算すべきだ。評価を他人任せにしてはいけない。最終的に、これはやっぱり芸術なのだから。

商業的なセンスとは、大量生産のポスターの図案を描く職人のセンスだ。都会の画廊向けに描く人とは違う。両者の分け目は曖昧で、その境を僕らは芸術と呼ぶ。その境を逸脱せずに操作する力を才能と呼ぶ。

自分はどんな書き手か？

ストーリーのアイデアと、それを書く動機とが合わない時がある。書きたくもない話を誤って選ばないように、まず、自分がどんな書き手かを知ろう。つまり、作家になる理由だ。

作曲家と演奏家に優劣の差はない。どちらか選んでもいいし、両立もできる。作家はいつも作曲家のような位置にある。感動的な曲を作ったら、後はそれにふさわしい演奏家になればいい。ただ、「何を作曲するか」を選ぶ時、最終的に何を作りたいか知っておくべきだ。それが正しいコンセプト選びにつながる。

僕は妻から「恋愛ものを書けば？」とずっと言われている。妻は僕をロマンチックな男だと思っているからだ。しかも、恋愛小説は時流に関係なく、めちゃくちゃ売れる。フィクションでは恋愛小説の作家がどのジャンルよりも多い。でも、僕は書かない。僕はそういう作家ではないからだ。男としては恋愛向きでも、作家として力を発揮するのは難しい。信念を曲げ、何をどう書けば売れるか探りながら書くはめになる。

自分が読んで楽しめるものを書けば間違いない。自分をさらけ出し、人の心にも触れたいと思えるような本がいい。そんな繊細さが自分にとっての正しいコンセプトを選ぶ鍵だ。

どうすればわかるか？

コンセプト作りが面白くて夢中になれても、それをもとに原稿を書くには大変な時間や労力がかかる。それでも書く価値があるか、どうすればわかるだろう。人も自分と同じ捉え方をしてくれるだろうか。アイデアの価値を見分けるのは誰だろう。

それほどすごくないアイデアをすごいストーリーに仕立てる方法は？

誰も知らない。

知ることはできない。自分の技術やセンス、個性を信じよう。その先は謎だ。必死に頑張って書くしかない。

成功する人は正しいアイデアを選ぶセンスをもっている。

編集者や出版社の提案を受けて書く企画も多い。だが、出発点は書き手にある。書き手としてストーリーの可能性を信じることができれば、それに共感してくれる出版社を探せばいい。

アイデアが弱ければ、出版されても発売されたことさえ知ることができない。すぐに返本されて書店の棚から消える本も山ほどある。「自分だけは違う」と高をくくっていた著者たちの本だ。

彼らのアイデアはさほどよくなかった。選択を誤ったか、何かが欠けていた。そこで売り方を意識して市場に参入しようとした。情熱やビジョンに駆り立てられて書いた本なら、もっと売れたかもしれない。「こんなことするのは俺だけだよな」と孤独を感じながら書いたとしても。

狭いニッチを狙うプロでない限り、コンセプトが市場に合うかは考えなくていい。完全に無視しろとは言わないが、クリエイティブな選択は自分の心でするべきだ。

では、再度、尋ねよう。自分で、どうやって選ぶのか。

答えは誰も知らない。ハリー・ポッターの第一作目は九社から却下された。スティーヴン・キングの『キャリー』は三十社、『風と共に去りぬ』は三十八社から却下された。出版社の人々は持ち込み原稿を却下するのも日々の仕事だ。ヒット作を見抜けない時も多い。だが、作家も編集者もみな全力でやっている。見抜く目を養おうと日々努力している。

アイデアと熱意を表現するのに六つのコア要素は役に立つ。それでも、わからないものはわからない。

だが、判断の誤りはかなり防げる。情熱をもって書こう。希望と自信に満ちあふれて書こう。そして、原則に従って計画して書こう。

書き手自身が信じないなら、他に誰も信じない。

「なぜ作家なのか」と自分に問おう

「自分は今、旅のどのあたりにいるか」。そう問うだけで正しいコンセプトに気づける。本当だ。日の目を見ない原稿をたくさん読んできた僕は、人々が何を「魅力的なストーリー」と感じているかを知って驚いた。あらゆる側面をプロのレベルにしてほしくて六つのコア要素を提唱している。基準を満たしてうまく書いても、コンセプトがあざとくて味気ないなら採用されない。コンセプトが平凡でも、他の要素の力で売れたストーリーもあるけれど。

ただし、『コールドマウンテン』のようなヒット作も「つまらない」「名作だ」と評価が分かれる。自分にとって正しいストーリーを適切な理由で選び、精魂込めて書くのが一番だ。

コンセプト選びには自分への問いが隠れている

なぜ、そのストーリーを書くのか。

何かの証を残すためか、セミナーで習った技術を試すためか。技術と想像力を使えばストーリーが作れそうだと思うからか。

自分の技術が使えるなら、どんなストーリーでもいいのか。それとも何かを探求し、表現したいと強く願うからか。

これは大きな違いだ。書き手としての将来を左右するほどの違いがある。

ハイ・コンセプトなアイデアに「ハイ」を付けること

この業界ではハイ・コンセプトという用語をよく使う。意味は推して知るべしで、『ダ・ヴィンチ・コード』や『ラブリーボーン』『アバター』などがそれに当たる。すると、人物メインの話はロー・コンセプトと呼ばれそうだが、そんな用語は聞かない。

コンセプトがハイかローかを語る前にジャンルを考えよう。あるジャンルではハイ・コンセプトでも、他のジャンルではごく普通かもしれない。

プロゴルファーのタイガー・ウッズを思い出してほしい。

ゴルフはレスリングやラグビーのように激しい競技ではない。ビリヤードやダーツに近く、クリケットより少し激しい、という位置づけだ。ゴルファーの中にはビール腹や細腕の人もざらにいる。そんなゴルフ界で、まさにアスリートのイメージをもつのがタイガー・ウッズだ。

インターネットで画像を探して見てほしい。本当に運動神経がよさそうだ。

ゴルフ界で彼はハイ・コンセプト的な存在だ。運動面で破格のレベルにあり、誰よりも注目を浴びている。だが、さすがの彼でも、テニスやバスケットボールで突出した成績を出すのは無理だ。ハイ・コンセプトになれない。

コージー・ミステリー（日常的な場面で展開する推理小説）や警察小説、恋愛小説でハイ・コンセプトなものが、スリラーやSF大作では全くそうならない場合もある。短編や中編でも同じことが言える。コンセプトの上下は場によって変わる。ロック雑誌でハイ・コンセプトなものが硬派な新聞では受け入れられないこともある。

そうとわかれば自由になれる。

選んだジャンルの中で何がハイ・コンセプトになるかを考えればいい。

恋愛映画『(500)日のサマー』（二〇〇九）は男が女に出会い、恋をしてふられる。その点はハイ・コンセプトでも何でもない。だが、恋愛映画（ラブコメ含む）のジャンルとスパイ映画などのジャンルとではハイ・コンセプトの意味が違う。『(500)日のサマー』が突出しているのは時系列を崩し、シュールでコミカルな描写を加えている点だ。そのような例はラブコメにもない。だからハイ・コンセプトだと言える。

人物メインの小説『ラブリーボーン』も殺人ミステリーの中では異色だ。『(500)日のサマー』と同様、語り口や視点の選び方が独特で、コンセプチュアルである。その結果、高い評価と売り上げを記録した。魅力的なコンセプトに意外性のある語り口を加えた展開だけでもハイ・コンセプトと言える。

スリラーものに恋愛を入れても単なるサブプロットにしかならない。スリラーものは多種多様で作品数も多く、独特の基準がある。独自性とサスペンス、恐怖や魅惑、刺激的なエッジが求められる。

人物のあり方はハイ・コンセプトにならない。ハイ・コンセプトとは巧みさや意外性、斬新さ、恐ろしさ、華麗さなどをもたらすシナリオや装置のようなものを指す。人物を描く時の風景のようなものと言えるだろう。

コンセプトはいつでも高められる

恋愛ものもコージー・ミステリーもちょっとしたことを加えればハイ・コンセプトになる。他のジャンルに比べて基準が低く、新鮮で意外なものを少し入れると「こんな作品は見たことがない」と言われるだろう。それよりも、プロット展開と主人公の魅力をいかに伝えるかが大事だ。

特定のジャンルで知名度を確立すれば、ハイ・コンセプトは必要ない。名前だけで本が売れる。だが、多くの応募作品から抜きん出るためには魅力的な人物設定や文章の運びと共に、ジャンルの中でキラリと光るコンセプトが必要だ。

その光を放つ電球を何ワットにするかは自分次第。想像力を駆使してコンセプトを高めよう。

エクササイズ

- ストーリーにしたいアイデアを書く。
- そのアイデアがコンセプトになるか考える。アイデアが複数あれば、基準を見ながらコンセプトに発展させてみる。
- 次に、独自性があるかを評価する。そのコンセプトはオリジナリティがあって新鮮か。少なくとも新たな視点やひねりがあるか。ストーリーを展開する舞台設定ができるか。説得力や魅力はあるか。
- 自分では独自性も魅力もあると思うが、他の誰にも評価されそうにない場合、他の要素でどう補うか。
- まだコンセプトを「what if?」の問いで書いていなければ、書く。
- その問いは答えが知りたくなる問いか。そこにストーリーは存在するか。
- コンセプトを高いレベルに引き上げる「what if?」はあるか。
- 思いつく限りの「what if?」を書く。最も高いレベルの問いから連想してもいいし、自由に発想してもいい。
- すでにアウトラインや原稿を書いている場合、ストーリーが大きな転換点に来るたびに「what if?」を書く。インサイティング・インシデント（物語が大きく進みだすきっかけの出来事）についても「what if?」を書く。
- 作ったコンセプトを寝かせてみる。一週間後に読み返しても、まだわくわくできるか。
- 「what if?」が思いつかずコンセプトが決まらなければ、そのストーリーを書く時期はまだ来ていないかもしれない。複雑過ぎるか、具体性に乏しいか、ドラマを作る可能性が少ないかもしれない。

第3章

コア要素　その2
登場人物

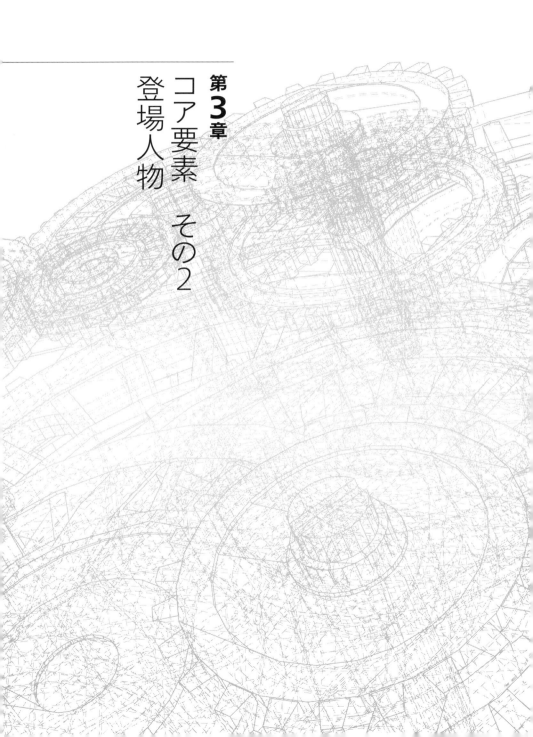

8 人物の本質を見てみよう

人物設定の全般的なアドバイスはたいていつまらない。「人物に深みや説得力、個性を与えましょう」。それはみんなわかっている。

だが、人物作りの悩みは絶えない。

「人物設定は不要」と唱える大作家たちもいる。ストーリーを見れば人物がわかるそうだ。しかし、プロットには人物の行動しか書かれていない。テーマは人物の決断の結果を反映するが、読者の感想を促すものでしかない。

確かにストーリーを見れば人物がわかるかもしれないが、そう言い切るのも粗っぽい。人物は物語に必要だから、僕も六つの要素に入れている。だが、技術の面でははっきり区分すべきだ。

人物設定の七つのカテゴリー

人物表現は七つのカテゴリーに分けられる。順不同に紹介しよう。

◆表向きの顔と性格――癖や習慣、動きや外見。周囲はそれを見て人物を認識する。

◆バックストーリー――ストーリーが始まる前に本人に起きたすべての出来事。今の人物を形成する過去。

◆人物のアーク――ストーリーの中で体験する学びや成長（変化）。自分にとって最も厄介な問題をいかに克服するか。

◆内面の悪魔との葛藤――心のネガティブな側面。認識や思考、選択、行動を左右する。「知らない人と話すのが怖い」といった欠点は内面の悪魔の影響で表れる。

◆世界観――信念体系や倫理観。バックストーリーと内面の悪魔を反映する。

◆ゴールと動機――決断や行動を後押しするもの。どんな代償や逆風にも負けずに得ようとするもの。

◆決断、行動、態度――以上六つのすべてを反映してなされる決断や行動。

人物表現は最後の「決断、行動、態度」にかかっている。どう表現し、どうインパクトを出すかは他の六つのカテゴリーの操作にかかっている。

このリストだけでも貴重だ。一つずつについての本やセミナーは多いが、包括的なアプローチは少ない。

人間は単純な生き物ではない。これらの要因が複合的に絡み合い、思考や発言、行動が生まれる。人物を深くパワフルに描きたいなら、ぜひ取り入れてほしい。

ストーリーの本質

ストーリーの本質を表す一語は何だろう。うまく表現するには複数の単語が要るが、最もパワフルで重要なものを一つだけ選んでみてほしい。

多くの人が「人物」を選ぶ。あるいは「プロット」だ。プロットと人物。そういうことだ。「人物はプロットで、プロットは人物」と言う人もいるが、考えるほどわからなくなってくる。だが、人物もプロットもストーリーを最もよく表す一語ではない。だから、それを聞いても書く気力が起きない。ストーリーと、ストーリーでないものとを区別する言葉でもない。

もっといい単語がある

それは「コンフリクト（葛藤、対立）」だ。夢に向かって進む主人公に反対する力である。これがなければストーリーはただの日記のようになる。ドラマ的な緊張感がなく、読者も感情移入できない。

人物が勇気を出す場面も、心の中の悪魔と戦う場面も生まれない。すべてが淡々としてしまう。コンフリクトは人物とテーマ、プロットに必要だ。しかも、複数のレベルで。

コンフリクトは物語の流れを作る。それがわからないで人物やプロットを考えようとすると、いつまで経ってもストーリーはできない。

「人物」はストーリーの成分となる四つの要素の一つ。残りは「コンセプト」「テーマ」「構成」だ。四つをすべて揃えなくては、いくら人物設定を考えてもストーリーにはならない。

だが、人物は重要だ。非常に重要だ。残りの五要素（コンセプト、テーマ、構成、シーンの展開、文体）と共に深く理解し、融合させよう。

ここでのキーワードは「融合」。まとめ合わせることだ。人物はストーリーのすべてを活性化させる。人物の体験がテーマを表す。人物は構成に沿って行動する。敵に立ち向かいながらプロットを生きる。

――知られざる人物設定の知識

「人物に息吹を与えよう」という見出しが業界誌「The Writer」二〇〇九年三月号のトップ記事にあった。誰もが「当たり前だろ」とか「ああ、やってみたさ」と心でつぶやいたはずだ。

このような記事は浅いものが少なくない。六つのコア要素で掘り下げていこう。冴えない人物にも命を吹き込み、いきいきと描けるはずだ。

人物がすごくても、ストーリーがお粗末では機能しない。また、人物がいきいきしているだけでも機能しない。深みと質が必要だ。魅力的で面白く、読者に対する説得力が必要だ。しっかり作った主人公や敵、多面的なキャラクターを舞台に登場させるべきだ。

どんな行動をさせたら面白いかも考えよう。どんな見せ場が作れるか。内面の悪魔と戦い、夢に向かって進み、読者の心に響く場面をどう作るか。

最初に挙げた記事はこう説明していた。「人物に人生を与える」（どういう意味かはともかく）、「人物の感情を描写する」（何に対して？）、「意義のある目標を与える」（でないとストーリーにならないから、ありがたい文言だ）、「小さな癖や習慣を作る」（付け焼刃は危険）、「一貫性を崩して複雑性を出す」（基本だが、すぐに陳腐な描写になる）、「個性的な名前を考える」（もう付けたよ）、「他の人物との人間関係を作る」（当たり前だろ）。

はあ、とため息が出てしまう。

もっと掘り下げよう。人物を根本的に理解しよう。人物設定のツールや基準、チェックリストが必要だ。

人物の中身と背景

役作りをする俳優はプロットについてめったに話さない。敵対者のことより心の葛藤に目を向ける。インタビューであらすじを尋ねられても、人物描写の苦労に話が向きがちだ。役と自分を比べてどうだったか、どんな面に共感したか、どんなふうにその人物の世界を生き、理解に努めたかを語る。彼らはそうしたリサーチを経て、衣装を着てメイクをし、観客の前に姿を現すのだ。

コミック原作のハリウッド映画化などはちょっとした見ものだ。『ダークナイト』（二〇〇八）でジョーカー役のヒース・レジャーは、ハムレットになりきった名優ローレンス・オリヴィエのようだった。

俳優が役作りのことばかり語るのは、彼らの技術と生活の糧が人物にあるからだ。大きな目で見たストーリーは脚本家や監督、演出家の仕事になる。その証拠に、脚本・演出家のインタビューは俳優の視点と異なり、人物やテーマをあまり語らない。その代わり、プロットとコンフリクトを語る。

その理由を次の項で説明しよう。

人物はストーリーではない

多くの大作家や有名作家が「ストーリーは人物」と言うのは俳優の視点と似ている。だが、それは「野球とはピッチングだ」「音楽とは歌唱だ」「薬とは診断だ」「料理とは塩コショウだ」と言うようなものだ。間違いではないが正解とするには取りこぼしが多い。

ストーリー作りとは四要素を混ぜ、二つの技術で表現することだ。主要な要素が六つある。「人物」という一つの要素ですべてをカバーするのは無理だ。

人物は何もないところに存在できない。他の要素と関わり合って存在する。そう認識すれば、かなり包括的な書き方ができるようになる。人物をパワフルなツールとして使えるようになるだろう。

人物の使命

人物をパーツに分解して考える機会は少ない。学校では「リアルで多面的な人物像を描きなさい」と教えられる。「いいね」と言われる人物だ。実際の例を映像や書籍で見せられる。「人間は『ただ、そうしたいから』行動する。そういうふうに書こう」「葛藤する人物を描け」「権力を求めて悪事をはたらく人物を描け」「バックストーリーや弱点、悩みを設定しよう」「性格や癖で個性を出そう」――どれもいいアドバイスだが、ある野球選手の全盛期のピッチングの映像を見せて「この通りに投げましょう」と言うようなものだ。

肝心なのは「何を」でなく「どうすればいいか」。人物の深みや複雑さをどうすれば設定できるかだ。

名投手のようにピッチングするにはどうすればいいか。答えが「練習あるのみ」では不十分だ。間違いではないが、確実に上達できる保証はない。残念ながら、人物作りも「考えるのみ」という答えが多い。一覧表や例を見て考えろ、と放置される。

人物の要素をカテゴリーに分けてみよう。すると、考えやすくなる。

深く掘り下げる

まず第一の目標は、浅くて魅力がなく、ありきたりの人物にしないことだ。そこで理解してほしいのは、人物とは「選択、行動、態度をトータルで見た姿」ということ。それは過去によって決められ、目的意識に後押しされる。たった一つの癖や思い出、夢などは人物の全体像を表さない。豊かに描かれた人物とは、多くの面を合計した像を指す。

多くの面を操るマシンがあるとしよう。コントロールパネルにダイヤルが七つある。前に挙げた七つのカテゴリーだ。それぞれ1から10まで目盛りがある。七つのダイヤルを調節すれば一千万以上の個性的な設定が作れるわけだ。マシンに例えてみたが、実際、目盛りの度数は無限だ。死や昏睡状態から、神のような完全無欠、不死の存在まで範囲が広い。ストーリーの性質に合わせてダイヤルを調節すれば人物設定ができる。

幸い、人物設定のカテゴリーは七つしかない。細分化すればもっと増えるが、人物に関するものはすべて七つのどれかに入る。また、七つは互いに重なる部分があり、そこを調節すると選択肢は何千万もある。

だから、全く同じ人物は二人としていない。現実の世界も同じだ。人をタイプに分けることも多いが、一人ひとりみな違う。雪の結晶の一粒ずつに個性があるように。書き手の仕事は雪を降らせることだ。

9 人物を三つの次元で捉えよう

本や映画のレビューで「人物が平面的」と書かれることがある。作品が落選した時に聞くとつらい。平面的とは「他の次元を作る余地がある」という意味だ。だが他の次元とは何だろう。「人物が二次元的」とは誰も言わない。別の次元を足すとはどういうことで、どういう意味だろう。「これは3Dで立体的だ」とはっきりわかるのは、なぜ最近の映画館やディズニーのパレードぐらいしかないのだろう。

フィクションの人物描写で「平面的」とは退屈でありきたりなものを指す。TVドラマの通行人程度のつまらなさ。兄弟姉妹の昔の結婚相手を思い浮かべる人もいるかもしれない。

人物のさらに深い次元

多面的な人物を描くには、まず、他の次元とは何かを知らねばならない。

ストーリーの構成が頭の中でできていれば、人物描写も感覚でできるかもしれない。計画せずいきなり書くタイプ（パンツァー）はそうしようとする。スティーヴン・キングのようにうまく書けるかは運任せだ。

幸運を祈る。

そこにパンツィングのリスクがある。照準を決めず、書きながら作ると行き詰まり、書き直すことになる。

つまり、原稿を書きながら構想を練っているわけだ。何をどのレベルまで高めればいいかわからず、何ヵ月も何年も費やすことになる。

これも幸運を祈るしかない。

人物を三つの次元で捉えよう。そうすれば深い感情を掘り起こし、ストーリーに響かせることができる。

現実世界は3Dで展開する

ストーリーに登場する人々も三次元で展開すべきだ。

三つの次元はそれぞれ別だが、常に重なり合っている。人間とはこれら三つの次元の和だ。秘密が隠れていても、その人の中にある最高／最低が融合したものが周囲に見えている。ダークな秘密が人物に魅力を添えることもある。その謎解きがストーリーの一部になる。

前の節で紹介した七つのカテゴリーはすべて三つの次元に存在し、影響を与える。

つまり、七つのカテゴリーが二十一の可能性を生む。深さやバリエーションは無限大だ。

七つのカテゴリーをスパイスに例えよう

三つの次元をコース料理だと思ってほしい。サラダ、前菜、スープに添えるスパイス（七つのカテゴリー）が決まっている。すべての皿（次元）に入れるスパイスもあれば、特定の皿にだけ入れるスパイスもある。

どの皿に何を入れて引き立たせるか。複雑になりがちな人物分析も、そうしてシンプルに考えるといい。

皿とスパイスの関係は、書き手の土俵である「次元」と「カテゴリー」の関係だ。

カテゴリーの「世界観」を例に見てみよう。ある人物は人々に「信心深い」と思われている（表向きの表現＝第一の次元）。彼の信心深い顔は、信心深い妻と結婚して生まれた（顔の根源＝第二の次元）。夫婦揃って信心深く、暮らしは平穏だが、彼は出張で遠出をすると平気で浮気をする（本来の自分＝第三の次元）。信心深い印象とは真逆のコントラストがつく。

さらに理解を深めるために、一人の人物の中で三つの次元がいかに共存するかを見てみよう。人物に深みと複雑さ、魅力を与えるのに必要だ。

人物の第一の次元――表面的な特徴、癖、習慣

癖や習慣を「人物の外側の風景」と捉えてみよう。周囲の人々が何を見てどう受け取り、逆に、何が見えていないか。周囲の認識は本人の意図と全く合わない時もある。もし、中年太りの四十八歳の男がマッチョなスポーツブランドの野球帽を斜めにかぶっていたら、その外見だけでも多くが伝わる。人が受ける印象と、本人の思いはおそらく違うだろう。

姿や行動の見え方が「第一の次元」だ。髪型や化粧、クルマ、好みの服装やよく行く場所、好きな音楽や食べ物、態度や偏見など。そこには「自分をどう見ているか」と「人にどう見られたいか」が存在する。これらが矛盾する時、第二の次元が関わってくる。後で詳しく話そう。

「ワイン通だと周囲のみんなにアピールする」人物がいるとする。大切なのは本当に彼がワイン通かどうかではなく、「ワイン通の仮面を必死にかぶって見せるのはなぜなのか」だ。誰しも大なり小なりこれをする。自然にあることで、必ずしも悪いことではない。

他の次元も少し見ておこう。表面的な選択（第一の次元）と他の二つの違いを見てほしい。

◆第一の次元の描写はただ事実として存在する。どう受け取るかは読者次第だ。人物のクルマが「十五年前に生産されたコルベット。革のシートが破れている」なら、そこに意味を感じ取る人も、感じ取らない人もいる。意味の有無はわからない。その裏にある意味を見せた瞬間から

「第二の次元」の領域に入る。

◆「第二の次元」は目に見えていたものの理由に気づかせる。裏設定や裏の意図、裏の意味を表す次元だ。「コルベットは父がくれたもの。思い出があり捨てられない」というように。父といろいろなことがあったのか、少年時代から反抗的で、ポンコツでもコルベットが恰好いいと思っているか。コルベットを選ぶ理由はバックストーリーにある。第二の次元を描けば、第一の次元の断片（コルベット）が深まる。

◆「第三の次元」は状況が大きく揺らいだ時に表れる。表面的な選択（第一の次元）は消え、もっと重要な選択や行動が前面に出る。例えば「犬をよけるためにハンドルを切り、大事なコルベットを大破させる」。第三の次元では人物のモラルや心が表れる。それは第一と第二の次元で見えた意味と一致するとは限らない。また、ストーリーの後の方で、第三の次元は人物の成長を表す手段になる。「人物のアーク」と呼ばれるものだ。「信心深いが浮気する夫」の例では「浮気をしている時」が第三の次元、彼の最も深いところにある本質だ。読者はこの男を三つの視点から眺める。三つの次元はすべて彼の側面だ。

見た目通りとは限らない

第一の次元の話に戻ろう。表面的なもの（癖や習慣）の意味や意図は見えにくく、人物の真実かどうかはわからない。ただの気取りやごまかし、あるいはカルチャー的なものかもしれない。タトゥーをしている人物がタフな荒くれ者とは限らず、単なるファッションの場合もある。別の次元で説明しないと読者は理解できない。説明や描写がなければ意味付けや価値判断は読者によってばらつきが出る。人物に対する感じ方は極めて重要だから、書き手がしっかりコントロールすべきだ。

僕らは日々、第一の次元と向き合っている。出かける時の服を選ぶ時など、実生活で第一の次元を眺めてみよう。自分の意図と周囲の認識とが合うか。伝えたい意味があるか。そう考えて暮らす人は書き手として切磋琢磨していると言える。

パソコンを閉じて出かける時も、作家活動は続くのだ。

どれぐらい深めるか

脇役たちには深みを出さない方がいい。深みを追求するために脇役まで掘り下げるのはやめよう。ピザの配達人まで深く描いている文章を見ると、セミナーを受けたての新人だなとわかる。

作り込むのは主人公と敵対者、主要人物にとどめる。ピザ屋のおいたちまで知る必要はない。だが、脇役がありきたりだとつまらない。短い場面で表面的な印象を面白く描くといい。その必要がなければ不要だ。主要人物を際立たせて感情移入を促すために、第一の次元の描写で落差をつける。それが脇役のベストな使い方だ。

「ボストン在住なのにニューヨーク・ヤンキースの野球帽を被るピザ配達人」は周囲に喧嘩を売っているように見えるだろう。「野球帽」だけで十分だ。ただ、主人公がその帽子を見たり、何か言ったりするなら、その脇役を使って何か描けるかもしれない。

脇役の人物描写で場面を長引かせないこと。エッジを与えるなら端的にし、自然で適切な分量だけ登場させる。脇役はプロットを展開させるためにいる。主要人物の描写にも役立つが、それ以外は静かに退場させよう。

主人公と敵対者を深める目的は「ストーリーを強化して読み応えを出すため」だ。たとえ学校で教わったとしても、深めることを目的にしてはならない。

癖を出すために癖を作るのは無意味だ

「安物のワイシャツにいつも珈琲をこぼす仏頂面の田舎刑事」は単調だ。「夕方のニュース番組に出た後、帰宅途中で風俗店に寄る二枚舌の政治家」も「彼がいつも指名する気立てのよい風俗嬢」も単調だ。

少なくとも、彼らがそうである理由がわかるまでは単調だ。何のために真の姿を隠し、何に行動を後押しされているかがわかるまで。

読者は主人公や敵対者の裏にあるものを知らない。だから、知らせなくてはならない。

主要人物がある面を見せる時、第一と第三の次元のギャップを埋める第二の次元を読者に提示せねばならない。それが「深める」ということだ。

ビギナーは人物の特徴や癖を描いて個性的にしようとし、逆に人物が平面的になる。人物の特徴だけを描いて「後は読者の想像におまかせ」という投げ方をしているからだ。

アクが強い癖を与えると、ますますひどい。

ある映画の予告編で、青年がデートで夕食をする場面があった。女性は「私ってこうなの」と言ってデザートを注文した。書き手が合理的な理由を提示しなければ「人物に説得力がない」とレビューに書かれるのがオチだ。個性的な特徴が人物の複雑な側面を描く糸口になれば有効だ。

根拠のないディテールは避けよう。根拠があって役立つものがいい。

トニー・スコット監督映画『トップガン』の主人公マーベリックは上官にたてつく性格だ。管制塔をいらつかせ、美人教官をカラオケバーに誘い、わざと悪いことをする。

その理由と、その先に予測される結果が提示されるまで、人物描写は第一の次元にとどまる。

第二の次元――バックストーリーと内面の悪魔

第一の次元が見かけなら、第二の次元は実像だろうか。

まだそうとは限らない。第二の次元は「第一の次元がそう見える理由」を明かす。ここでの実像とは、まだ「人物が読者にそう思ってもらいたい姿」に他ならない。

見せかけ（第一の次元）から人物の言い訳（第二の次元）を経て、第三の次元で実像が見えてくる。ストーリーの終盤になって実像がわかる時もある。

転職したての人物がいるとする。表面上は理想的な社員だ。いつも笑顔で服装にも気を配り、協調性や積極性もアピールする。これらはすべて第一の次元の描写だ。

第二の次元の例を書く。彼がいい社員ぶるのは、過去に四度も解雇されたから。勤務態度が悪く、チームワークもできず、嘘が多い。原因は幼少期の親や教師との軋轢だ。

すると、第二の次元の説明と第一の次元の見せかけとの間に複雑な接点が生まれる。幼少期に問題があっても、それが人物の本当の姿を表すかはわからない。

描写する次元が二つだけの時、読者は第一の次元（好感が持てる男）か、第二の次元（就職に不向きなダメ人間）で認識する。切羽詰まった時、彼はどちらの顔を見せるだろうか。

それは第三の次元が見えるまでわからない。真の姿は緊迫した状況下で露呈する。

人間の心象風景を見てみよう

第二の次元で人物の内面がちらりと見えた。外に見せる顔（第一の次元）とは異なる風景かもしれない。

経歴や心の傷、記憶、いまだに根に持つ挫折の体験、恐れ、習慣、弱点、外見を取り繕う理由――これらはみな第二の次元にある。「これが私だ」という選択をさせる力がそこにあり、表面的な特徴となって第一の次元に表れる。たとえそれがごまかしであってもだ。

「初対面ではおとなしかった人が、親しくなると非常に愉快な人だとわかる」場合、第一と第二の次元で複雑なダンスが展開されているかもしれない。そのダンスをプロットに組み入れ、「もうおとなしくしていられない」という状況になるまでリズムやペースを上げていこう。

それがストーリーの力学だ。

読者は内面の風景を見て理解する。そして初めて共感できる。共感すればするほど物語に引き込まれる。そうなればストーリーは失敗しようがない。平凡なプロットでも記録的なヒットとなったストーリーはまさにそうだ。

『トップガン』でマーベリックは挑発的な操縦をし、仲間を危険な目に遭わせる。それを見た僕らは目立ちたがりで嫌なやつだと感じる。だが、彼の強気な態度の裏に深い理由があるとわかると僕らは共感し、彼を応援し始める。

マーベリックは汚名を着せられた亡父の影と戦っている。そう明かされると彼の人間性も少しわかり、親しみを感じるかもしれない。好きになれなくても印象は変わる。彼に共感し、大目に見るようになる。

「こいつが望みを叶えたいなら、自分の心の弱さをどうにかしないといけないな」と思う時、僕らは心をつかまれているのだろう。

あなたが好きな小説の主人公はどうだろう。その小説が好きな理由はプロットではなく人物だ。人物に共感し、理解し、同情し、感情移入して読んだからだ。だが、プロットがなければ人物の表と裏の顔の両方を表す舞台がない。読者の体験は二つのコア要素が組み合わさってできる。

好きな小説を読みながら、あなたは共感した。時に涙し、はらはらした。引き込まれた。悲しみや喜び、恐怖や希望も感じただろう。人物が成功を手にした時は自分のことのように感じただろう。

あなたは人物を見守った。共感したからだ。

そんな読者の反応を培う肥沃な大地が、主要人物の内面の風景だ。第一の次元で見せる顔の裏付けとなる、過去の体験の集合体だ。

表面的な特徴に関わらず、第二の次元がストーリーの本体となる。読者の共感の土壌だからだ。

だが、人物作りはまだ続く。第三の次元を足して完成だ。第二の次元で意図がわかっても、まだ人物は機能しない。

「決断、行動、態度」が必要だ。

第三の次元——行動、態度、世界観

人物の真の姿は「第三の次元」にある。ピンチに陥った時、必要に迫られた時、人物はどの顔を見せるだろうか。第一の次元で取り繕うか、第二の次元の負け犬の顔か、あるいは全く別の顔だろうか。

第三の次元の「全く別な顔」を見せた時、人物は「アーク（変化）」したことになる。内面の悪魔を克服し、過去のパターンを破る選択や決断をする。単に吹っ切れただけかもしれないが、その別人のような姿こそ真の人物像だ。

ストーリーの都合で人物が一瞬善良さを見せ、すぐ第二の次元、第一の次元のパターンに戻ることもあるだろう。麻薬密売人がある場面で子供の命を救っても、まだ真の姿は変わっていない、ということもあり得る。

深くて複雑な面を見せれば立体的な人物、３Ｄの人物描写になる。

人物設定のプロセスにルールはないが、三つの次元を理解すれば選択肢が見えてくる。

主人公は態度を決めて挑み、決断し、大胆に（とは限らないが）実行する。悩みがあろうと、嫌なやつであろうと、ヒーローらしくなかろうと実行し、乗り越える。恐怖を振り切る。内面の悪魔や障害をものともせずに行動する時、主人公は第三の次元の姿を見せるのだ。

悪者にも心がある

一方、敵対者は自分を正当化する。他を傷つけ、責任を取ろうとせず、自分に不都合なものから目をそらす。善悪の区別はついていても、危険が迫れば自己中心的で無神経なことをする。「仕方がない」とうそぶき、自分にもそう言い聞かせる。たいていの悪者は富や名声、安心や快楽を求める。偉大な悪者の「第二の次元」ではモラルや世界観が複雑に渦巻いており、悪行の動機や免罪符になっている。それがなければマンガに出てくるチョビ髭の悪者程度のイメージしか出せない。

デニス・ルヘインの小説は善人と悪人の境が曖昧にうつろうものが多いが、バックストーリーが明確に描かれているため感情移入しやすい。ルヘインは以前、ソーシャルワーカーをしていたことがある。その経験がどれほど生かされているかはわからないが、リアルで複雑な人物像を描き、読者を深く引き込む力を見せている。

仮面の裏に隠れた素顔は、その人物のモラルや道徳に表れる。バックストーリーから推測できる部分もあるが、人物が何かを決断し、行動すると初めてわかる。その時、「人物のアーク」も表れる。表の顔と対極にあるものが第三の次元の顔だ。

僕らが人物を設定する時は、たいてい自分の経験が下地になっている。誰かに殺意を抱いたり、殴ったりしたくなった経験もあるだろう。だが、実行はしなかった。「殺さない」「殴らない」という決断が、その人の人物像を定義する。

では、その衝動に負けたらどうなるか。同じバックストーリーや悩み、経緯や感情は同じでも、「殺す」「殴る」という決断をすれば別の結果が生まれる。結果によってストーリーが変わる。どんな決断をするかで人物像も変わる。

人物の夢や目標が長所を表すとは限らない。主人公や敵対者にとって、長所や善は選択肢の一つでしかない。

三つの次元を見渡すと、選択肢は非常に多いことがわかる。それが人物に深みを与えるツールなのだ。

ある人物の例を挙げよう

ビル・クリントン前大統領を思い出してほしい。彼は何者で、真実の姿は何だったのか。素晴らしい成功者だが、そうでない面もある。人物の多面性がよくわかる。

ビル・クリントンはハンサムでカリスマ的だった。国家への深い思いがあった。だが、友として、仲間として、夫として、彼が見せた第三の次元の顔を見ると怪しい。

彼が第一の次元で見せる顔には品格と知性、スタイル、強さと同時に愛嬌もある。

第二の次元は不透明な部分が大きい。不倫疑惑で土壇場まで逃げの姿勢だったこと、妻ヒラリーの夫として葛藤があったことぐらいしかわからない。フィクションの人物を作る場合はこの次元にあるバックストーリーと内面の悪魔の掘り下げをし、第一、第三の次元の描写に生かすべきだ。

第三の次元で彼が見せた素顔は周知のとおりだ。彼がどんな男で、何が優先で、プレッシャーがかかるとどうするか。自分の評判が危うくなった時の反応が露呈した。

その第三の次元の素顔は、第一の次元で見える彼の髪型や南部訛りのソフトなしゃべり方、巧みな弁舌とは全くつながらない。第二の次元で情状酌量を訴えても、真の姿はごまかせなかった。

よくも悪くも第三の次元が究極の姿を示す。他は伏線、まやかし、あるいは説明だ。

三つの次元をまとめる技巧

第一／第二の次元と第三の次元との関連性は不確かだが、無意味ではない。実は、それが層の厚い人物を作る鍵だ。現実は三つの次元でできている。ストーリーも同様にすべきだ。

次元の層を一つずつ重ねると、魅力的で複雑で、怖さや親近感を抱かせる人物像が出来上がる。多くの人は一つの次元しか作らない。また、第二の次元の描写ばかりで第三の次元に至らない人はさらに多い。

三つの次元がうまくまとまっていない人はもっと多い。巧みに統合するには基礎を理解する以外にない。野球の春のキャンプに来る投手はみな基礎を習得している。二十人中、五人程度が試合に出る。その中でオールスターチームに入るのは一人いればいい方だ。

基礎的な技術を超える部分は未知数だ。ひたすら努力するしかない。

主人公と敵対者の三つの次元を完成させよう。

そして、三つの次元に説得力ある関連性を与えよう。「人物が浅い」と言われなくなるはずだ。

10 人物の仮面をはずそう

人を知れば知るほど嫌いになる時がある。「弱者を守る政治家の不倫が発覚」といった場合、僕らがすべきことはただ一つ。露呈した真実の姿（第三の次元）を見極め、表の顔との食い違いを探すことだ。

政治家も一般人も、実際の行動や決断で人物像がわかる。その裏には本人の世界観やモラルがある。それを第一の次元の顔で表現するか、隠すかだ。

「長年こっそり女遊びをしている夫」がいるとする。職場の人々はそれを知らず、おそらく妻も気づいていない。友人たちは薄々知っているかもしれないが、口に出す者はいない。「知らないふりをする」選択をしているなら、それが彼らの人物像を物語る。

妻はみんなに好かれ、同情されている。夫だけがそれに気づいていない。

だが、夫婦二人きりになると、妻は口やかましい。友人たちがそれも知っているなら、夫にも同情しているはずだ。

夫は愛嬌があり、みんなを笑わせる。やさしく、おしゃべりで、いつも朗らかだ。実は面倒なことが嫌いで、内心「この場を盛り上げて楽しみたいだけなんだ。恰好の悪い思いをさせないでくれよ、友達なら何も言うな」と思っている。

彼はおしゃれで清潔感があり、高級車に乗っている。そうした第一の次元の表現からは真の姿がわかりづらい。重要な局面が来れば、彼のこざっぱりした姿などあてにならない。

楽しげにふるまっているが、真の姿はわがままで臆病だ。

書き手のツールは隠れた本質を描くこと

外見とは裏腹に、人物の本音を聞けば暗い話が続々出るだろう。「だから今の自分はこうなんだ。欠点があるのは過去のせいだ」と言いそうだ。

だが、それも人物の真実ではない。誰もが過去にズタズタにされるわけではないからだ。人物の暗い過去がそのまま真実の人物像になりはしないし、ネガティブな思考をする理由にもならない。本当の自分はけっして過去では表せない。過去は「今の自分を作った要因」というだけだ。

真の姿は選択と行動に表れる。どんなモラルに従い、どんな危険を冒し、どんな結果を得るかで決まる。他の人々が屈するような第二の次元を抱えていても、それを乗り越える力があれば、それも真の姿の表れだ。

確かに彼はいいやつで、悪妻に虐げられてもいるだろう。だが、彼の真実の姿は見てのとおりで、モラルは非常に低い。

ストーリーをすべての層から眺めると、そういう図になる。ひどい人物がいい読書体験をくれることもある。彼らには隠し事や過去、言い訳があり、守りたいイメージや世間体がある。どれも第二の次元から派生するものだ。

人は本音を隠して楽しく暮らせるかもしれないが、フィクションの世界は違う。冒頭で偽りの顔を見せても、いずれは真の姿を見せねばならない。

そうしなければ人物は平面的なままだ。読者の興味を引くだけで終わってはいけない。

では、何が人物への興味を引くのか？

人物はみな人間ならではの複雑性や欠点がある。フィクションの人物作りは好感度の演出とは程遠いところにある。

学校で「好感が持てる人物を書け」と習ったかもしれない。それが記憶に焼きついて、本当に理解すべきことを歪めてしまう。実際、映画の主人公には好きになれないタイプも多い。

好き嫌いは関係ない。今はそんな単純な時代ではない。映画『ウォール街』（一九八七）のゴードン・ゲッコーは嫌な男だが非常に魅力的だ。デニス・ルヘインの『シャッター・アイランド』（早川書房、加賀山卓郎訳）の主人公には好感度など少しもない。彼は狂っている。ルヘインのもう一つのベストセラー『ミスティック・リバー』の主人公もそうだ。

人物は読者に好かれなくてもいい。だが、応援してもらうことが必要だ。主人公の心情の変化について来てもらわねばならない。その人物が最後まで嫌いでも、共感がなければ感情も動かない。

敵対者については、望みをはっきりさせること。優れたストーリーはなぜそれを望むかも描いている。

ストーリーでは主要人物に「変化への道」を歩ませる。人物たちは危機や必要性に迫られて行動し、達成し、学び、変化する。主人公や敵対者、悪者も同様だ。人物の外側と内側の両方に障害を設けると、過程が面白くなる。人物にとっては苦しいが、読者にとってはありがたい。

人物に対する共感を得よう

主人公の欠点が目立つと共感度が下がるかもしれず、バランスが難しい。アルコール依存症の主人公が夢に向かって酒を断つなら、肯定的な印象に結びつく。

自分の弱さに苦悩しながら頑張る人物は読者に愛される。過去の過ちを悔み、ストーリーの中で崇高な使命に向かう人物だ。悪魔の囁きを振り払い、何かを決心する姿でもいい。

僕らはそういう姿に共感する。いっときだけでも主人公を応援するだろう。誰しも同じ体験があるからだ。

たとえ、それが架空の人物であってもだ。

野球に見る人間模様

西暦二〇〇〇年からの十年間、アメリカの野球界はステロイド使用疑惑や逮捕事件が多数起きた。事実を否認する者も、素直に認めた者もいた。

中でも、使用を認めたアンディ・ペティットとジェイソン・ジアンビ（どちらも当時ニューヨーク・ヤンキース在籍）に世論は寛大だった。過去の過ちを潔く認め、真の姿を見せたからだ。彼らは球界に復帰し、ファンから応援されている。

不祥事に対して二人が見せた態度はファンの尊敬と共感を集めた。二人は人々に不誠実な顔を見せなかった。

それが彼らの人物像だ。このストーリーで二人は善人である。

他の選手たちは嘘をつき、黙秘し、増強された筋肉によってパツパツのスーツ姿で諮問委員会の前に現れた。野球人生も殿堂入りの夢も、世間の失望と共に奈落の底へ落ちた。

それもまた人物像だ。

彼らが第一の次元に執着しているのがわかる。マーク・マグワイアは相変わらず高級ドイツ車を乗り回し、記者を邪険に扱い、ボディービルダーである弟はステロイド剤使用で服役中。どれもみな第一と第二の次元の話だ。

一方、第三の次元（真の姿）は未来を示す。マグワイアはコーチとしてひっそり球界に復帰したが、殿堂入りは絶望的だ。彼が見せた数々の行為で世間の認識は変わってしまった。それはペティットとジアンビが避けたことでもある。それもまた第三の次元の選択だ。

マグワイアに強い対抗意識を持つバリー・ボンズにもドーピング疑惑があった。ボンズは八方に手を尽くして疑惑を退けたという噂だ。

それもまた人物像。書き手にとって、実社会は大きな学びの場となる。

書き手の仕事は失敗や成功そのものを書くのではなく、読者の共感を作ることにある。共感は人物のダイナミクスを映し出し、ストーリーに緊張や感情をもたらす。

出版を目指すなら必要なことだ。

11 人物の人間性を理解しよう

作家を目指す人で、大学で心理学を専攻した人は多くない。残念なことだ。心理学は優れたストーリーを書くのに最も重要な学問の一つ。人間の行動原則をつかんで人物のやりとりを描くこと――それには心理学の勉強が必要かもしれない。

アメリカでお勧めするのは、悩み相談のトーク番組「Dr. Phil（ドクター・フィル）」や「Oprah（オプラ）」を観ることだ。僕は本気で言っている。あるいは心理学エッセイの本を読み、自己啓発セミナーに行ってみる。自分で何かを選んで体験すると、なぜ人々（人物）がそう考え、行動するかがわかる。実生活に役立つ心理学はストーリーにも役立つ。

トマス・ハリスの『羊たちの沈黙』（新潮文庫、高見浩訳）のハンニバル・レクターと「バッファロー・ビル」は共に非常に暗い心理を抱えている。スティーヴン・キングの作品も人間の最低と最高の心理を巧みに描き出している。酒乱の夫婦が単に包丁を振り回す以上の深さがある。バックストーリーの世界観や心の重荷はあまり表に描かれないが、主要人物のアークはたいていそこから発生する。

人物の心理を考えることは「第二の次元」を考えることだ。人間の行動はいくつかの世俗的なバケツに振り分けられる。そのバケツに好きなだけディテールを入れていい。

人は恨みや怒りに駆り立てられる

相手を許しても、問題が未解決なら怒りが残っているはずだ。その状態で何年も経つこともある。僕らは怒りの対象に抵抗する。むかつく相手が謝罪でもしない限り、完全に心を開きはしない。相手の考えや努力、存在そのものを拒む。怒りが陰湿な形で言葉の端に出ることもある。あるいは、ゆっくり進行する癌のように心を蝕んでいるかもしれない。

アメリカには寄付品を集めて職業教育を行う非営利団体がある。その団体はグッドウィル・インダストリーズという名だが、代表者は年間八十万ドルも稼ぐ（実話だ）。グッドウィルに腹が立ち、他の教会に寄付をする。典型的な「怒り—抵抗」パターンだ。怒りはちょっとした不眠さえ招く。

自分を捨てた元カレに怒ると、クリスマスカードを送るのに抵抗する。彼から送られたカードは読まずに燃やす。腹が立ち、悲しくなって、また怒る。

アメリカのＴＶドラマ『Men of a Certain Age』に出てくる三人の男はみな怒っている。一人は厳しい父親に、もう一人は妻に逃げられた自分の不甲斐なさに。もう一人は年を取って華麗な独身生活が送りづらいことに怒っている。怒りを原動力とする男たちの物語だ。

復讐がもたらす癒しとパワー

僕らは怒ると復讐を企てる。金遣いが荒い妻への仕返しに、夫は高価な釣道具を買いまくる。妻がいやな顔をする品であるほどよい。

それが現代の夫婦の実態だ。よくも悪くも人間の心理に沿って動いている。怒りを隠し続ける登場人物が心臓発作を起こす場面はよくあるが、理にかなっている。

第二の次元の怒りや復讐心は、第三の次元の決断／行動へと駆り立てる。それをストレートに表現するか、覆い隠すかは第一の次元の表現だ。昔の彼女とばったり出会ったとしよう。一度は彼女の浮気を許したが、結局彼女はあなたの親友と結婚した。怒りや復讐心があるのは当然だ。その彼女と同窓会で再会する。彼女を見た途端に胸が痛み、胃がむかつく。だが、一つ、意外なことが起きていた——彼女はお腹が大きく、間もなく臨月だ。今も夫婦仲良く暮らしているそうだ。

さあ、第三の次元の出番だ。クールにふるまっても仕方ない（第一の次元）。過去のいきさつも（第二の次元）、どうでもいい。今、どうするかが問題だ。平静を保つか、その場を去るか。二人を無視するか、許すか。怒りの言葉をぶつけるか、何もなかったかのようにふるまうか。ひと暴れしてから立ち去るか。あるいは、もしかしたら、心から祝福してハグするか。ここで何をしても、それは第三の次元だ。あなたの真の姿が表れる。

こうした場面を書く時は三つの次元を巧みに扱おう。とっさに本心を隠そうとして何かをし（第一の次元）、なぜ彼女を見た途端に感情がこみ上げるかを理解し（第二の次元）、どうふるまうかを決める（第三の次元）。

第二の次元は意志決定でなく、モチベーションを映し出す。第二の次元の心理は「出来事があって傷ついた。まだ癒えていない」という事実を指す。第二の次元の痛みと圧を感じると、人物はそれに押されて行動し、真の姿が表れる。どんな行動を描こうと、第二の次元が描かれていなければ行動の意味は伝わらない。

恨みや復讐心が外見（第一の次元）にずっと出るわけではないし、髪型やクルマにも反映されない。第一の次元の表現は「人からこういうふうに見られたい」という欲求から生まれる。その欲求は露出か隠蔽のいずれかで表れる。

三つの次元が重なって人物を作る。ひっそり、動機別に存在することもある。

試してみよう

身近にあるもので、怒りを感じるものを箇条書きにする。次に、その怒りが自分の態度や行動、相手や対象物への意思決定にどう影響するかを考える。どんな気持ちを感じるか。その気持ちは行動をどう変えるか。

人間らしさを取り戻そう。怒りは常に僕らを動かす。「怒らないと動かない」というのでは困るが。「怒り―抵抗―復讐」のパターンは、人物の決断と行動の基礎として効力がある。文章術では効力が大事だ。

人物はバックストーリーによって決まる時もある

バックストーリーの影響が全くない人物もいる。ストーリーの性質やトーン、役柄に合わせよう。原稿を書きながら考えてもいいが（パンツィングだ）、ストーリーの大きな流れを見て入念に計画すべきだ。

意識していようといまいと、僕らの行動は自分の過去やルーツと結びついている。中でも、親の影響は非常に大きい。

医者の子が医者になる数は、トラック運転手の子が医者になるより多い。専門職に幅を広げても、専門職とブルーカラーの家庭を比べれば、子が専門職に就く数は親がその専門職の家庭が多い。

悲しいことだが、親から虐待を受けた子は自分もわが子を虐待する割合が高いという統計がある。より広く複雑性があるものの、アルコール依存症の親をもつ子も同じ傾向にある。

両親と似た行動パターンをする人もいれば、正反対になる人もいる。いずれにしても大きな影響を受けている。これを文章に書く場合は第二の次元に相当する。

すべてはバックストーリーだ

映画『トップガン』の主人公が前半で見せる無茶な行動は、軍人として不名誉な存在だった父と関係がある。そのバックストーリーを知らなくても筋は追えるが、はちゃめちゃな主人公に対する共感が得られるよう、書き手は意識せねばならない。

その鍵は第二の次元にある。

バックストーリーは人物を論理的に説明できるものにしよう。人物の表の顔（第一の次元）と真の姿（第三の次元）との中間層（第二の次元）ができ、人物のアークも充実する。

世界観が人を動かす

人の世界観は社会の価値観や政治、好み、信条などに培われ、その人の態度や習慣に表れる。バックストーリーやカルチャーに作られるとも言える。親のあり方や文化背景がテロリストを生んだりする。だが、人生経験を積むと人は変わるかもしれない。

宣教師の娘がいるとする。カリフォルニアの大学に入った途端にチアリーダーになり、ドラッグの売人と交際してビールをガブ飲みする日々。あるいは、古式ゆかしいメソジスト系教会で初の女性牧師となり、神に仕える日々。バックストーリーは同じでも、異なる展開だ。

すべては作者が第二の次元をどうコントロールするかで決まる。

人生ではあまりできないことだ。

12 バックストーリーを作ろう

二〇〇九年秋、オレゴン大学のフットボール選手が全米を騒がせた。シーズン初戦で敗れた後、対戦校ボイシー州立大学の選手を殴ったのだ。この様子はボイシースタジアムの巨大ディスプレイに映し出された。映像はニュース番組でも細かに分析され、世論が噴出した。

この選手はそのシーズンを出場停止となった。マスコミも世論も賛成し、大学も新任コーチも評家も事なきを得た。選手はＮＦＬ入りも有望視されていたが、その道は断たれた。

なんともドラマチックだが、バックストーリーを知ればさらに驚く。この暴力事件の前にさまざまないきさつがあった。

試合に負けて相手を殴った裏には、かなり多くの理由があったのだ。ストーリーでも、重要な瞬間の裏には多くの事情があるものだ。

「逆上して殴った」のは選手の第三の次元だ（真の姿）。事件後にコーチと選手がとった選択もそうだ。

一方、隠れた事情（バックストーリー）は第二の次元にある。マスコミに報道されない部分だとしても、これを小説に書くなら掘り下げねばなるまい。

あの瞬間、選手は冷静さを失った。第一の次元（表面的な繕い）と第三の次元（本心）がせめぎ合い、「殴る」（第三の次元の決断、行動）に表れた。安っぽいパンチを繰り出した後、彼は踊るように引き下がった。マイク・タイソンのような動きだ。一見、無意味に見えるが、これは第一の次元の取り繕いである。だが、「殴る」行為は第三の次元。人にどう思われようとお構いなしにやっている。真の姿が表れている。

しかし、評論家やコーチが「あの選手はそんな人間ではない」と逆のことを述べていたのは興味深かった。「ただ、かっとしただけだ」と。もしそうなら、試合に負けたオレゴン大の選手は全員、かっとしていた。そして、相手を殴ったはずだ。

フィクションには、このように人物がリアクションをする場面が必要だ。その時の決断と行動で、人物の奥に隠れた真の姿（第三の次元）を描き出す。選手が相手を殴ったのは気取りではなく（第一の次元）、第二の次元にある背景が要因だ。第二の次元に対して「もう我慢するもんか」と思った瞬間、真の姿が表れた。

この選手のバックストーリーを紹介しよう。

彼のおいたちは複雑だ。育った地域は治安が悪く、家庭環境も劣悪だった。彼にとって、そこから抜け出す道がフットボールだった。フットボールは彼の希望だった。彼は逆境を乗り越えて有望な新人となった。それが一転、暴力事件で幕を閉じた。

希望ほど物語に力を与えるものはない。

事件後、議論は試合全体にも及んだ。オレゴンにとって相手は宿敵で、「前年に負けた仕返しがしたかった」といった発言まで飛び出した。どれも第一の次元の恰好つけに過ぎない。

コーチは「フットボールは激しいスポーツ。選手も気性が荒くなるのは仕方ない」と語ったが、宿敵だの復讐だのといったトークを野放しにしていたため、両校の亀裂は深まった。まだオレゴン側で責任を問われる者はおらず、ボイシー側はノーコメントを貫いていた。

殴られた選手は試合終了直後、オレゴンの選手を嘲り、ショルダーパッドをこづいていたそうだ。何を言ったかは想像に難くない。彼は日頃から生意気な発言が多く、問題児だったかもしれない。第一の次元が第三の次元の結果を引き起こしたと言える。

これらはみなバックストーリー。事件の前とその裏に何があったかだ。

その後、事態はさらに悪化した。オレゴンのコーチが謹慎処分を撤回し、選手を復帰させたのだ。学業などの条件付きだったが、その情報は非公開。事件直後の断固とした態度は、突然手のひらを返したかのように変わった。

三つの次元が煮えたぎり、人の心理がメロドラマを展開した実例だ。

バックストーリーは第二の次元にあり、第一／第三の次元の説明や言い訳となる。第一／第三の次元と対比をなし、複雑で面白い層となる。

優れたストーリーの基礎に必ずあるものだ。

ツールとしてのバックストーリー

前の節で「行動には心理的な裏付けが必要」だと説いた。理由や過去のルーツも含め、「なぜそうなったか」を示すのがバックストーリーである。

主要人物について、壮大なバックストーリーを書く人もいる。いきなり書く（パンツァー）タイプの人は原稿執筆後にバックストーリーとの整合性の確認作業が必要だろう。事前に細かく練ってから書いてもいい。

いずれにせよ、手抜きをすれば主人公は平面的になってしまう。

氷山の法則

バックストーリーを頑張って作るとすべてを作品に書き込みたい誘惑に駆られる。読者が背景を感じ取れる程度にとどめよう。また、過去の回想シーンとして書くとたいてい失敗する。展開の中で巧みに、さりげなく表現すべきだ。

『ミスティック・リバー』や『シャッター・アイランド』のようにバックストーリーが大きな意味をもつ場合も、物語の中にうまく織り込めるはずだ。

「氷山の法則」を覚えておこう。バックストーリーを書くのは全体の一割程度。残りは水面下に隠す。

ちらりと見せたら、すぐに物語の本筋に戻る。書かれた部分から、書かれていない部分を推測させるのが理想的だ。

読んでバックストーリーに気づく

バックストーリーの生かし方を知るには他の作品を読むのが一番だ。戦略的にバックストーリーを使っているのがわかるだろう。デビュー前の人もベテランも他人の作品の手法に学び、自分の作品に生かすべきだ。

ＴＶドラマ『キャッスル～ミステリー作家は事件がお好き』の主人公は「女たらしの売れっ子作家」という役柄がよくわかる設定だ。彼がなぜ推理に長けており、相棒の美人刑事がなぜ彼に手を焼くのかが納得できる。

もう一つの大ヒットドラマ『Dr. HOUSE/ドクター・ハウス』では主人公の薬物依存（脚の痛みに対する鎮痛剤）や暗い過去がエピソードごとに描かれる。なぜハウス医師が薬をのみ、なぜ無礼な態度なのかがわかるようになっている。一般的なヒーロー像とはかけ離れた男だが、病気の診断は天才的。深くて魅力的なハウス医師を中心に、医療現場の人物たちが意見を激しくぶつけ合う。三つの次元がうまく溶け合い、このドラマはエミー賞候補の常連となった。

映画『アバター』では主人公のバックストーリーが視覚的に表現されている。軍人の彼は戦地で負傷し、身体が不自由だ。科学実験の被験者になる予定だった兄とＤＮＡが一致（プロット上必要）するため身代わりとなる。そして、トレーニングを受ける間もなく（バックストーリーからわかる）実験に参加する。バックストーリーは物語の一部ではなく、文脈を作るためのツールだ。『アバター』はそれを理解した上で、軽妙なタッチでバックストーリーに触れている。人物がリアルで親しみやすい存在になり、観客の共感を促している。

――シリーズもののバックストーリー

シリーズものではバックストーリーの重要性がさらに増す。シリーズ全体を貫くものだ。一巻ごとにプロットは完結するが、バックストーリーがらみの筋は続いていく。

「ハリー・ポッター」シリーズがいい例だ。闇の帝王に両親を殺されたハリーは悪の阻止を目指して成長する。過去の悲劇がシリーズに緊張感を与えている。

シリーズものでは第一巻でバックストーリーにおのずと焦点が当たる（プロットラインも確立される）。以後の続編ではバックストーリーの言及は間接的になっていく。ただし、新しい読者のために、うまく説明することが必要だ。連続ＴＶドラマは常にそうした配慮をしている。昔の海外ドラマ『逃亡者』（一九六三）では毎回のエピソードでリチャード・キンブル医師が新しい展開に遭遇するが、各シーンでバックストーリーもわかるようになっている。

ＴＶドラマはシリーズもののつなぎ方の参考になる。バックストーリーに注目しよう。

13 心の中にも葛藤を作ろう

ストーリーの本質を表す一語は「コンフリクト（葛藤、対立。異なる二つのものが衝突し合うこと）」だと述べた。もちろん異論はあるだろう。だが、いいストーリーには葛藤が必要だ。それがなければ人物描写だけになり、作文か日記のようになってしまう。

コンフリクトとは主人公の動きに反する力を指す。物語の中で、それが初めて意味をもって表れるのがプロットポイント１（二十二節参照）だ（その前に伏線や前兆として表れていたかもしれないが）。これはインサイティング・インシデントとも呼ばれる。その後、主人公の旅が本格的に始動する。

プロットポイント１の前に書くものはすべて設定、準備である。敵の姿が見える場面があっても、人物にとってそれが何かは曖昧だ。それがはっきりする、あるいは変化するのがプロットポイント１。どう変わるかは続きのお楽しみだ。

プロットの立て方は第五章で詳しく述べるが、人物作りに直接関わる部分もあるので、ここで説明しておこう。プロットポイント１に向けてのセットアップが必要だからだ。

ストーリーの箱1（二十二節参照）でプロットと人物の設定をする。両者はプロットポイント1で衝突する。だが、優れたストーリーを読むと、そう単純には見えない。

なぜなら、主人公の心の葛藤と多面性が描かれているからだ。この主人公が全く好きになれない時もある。ただ、すでに述べたとおり、主人公がたどる道に共感できれば問題ない。

プロットポイント1までに主人公と、できれば敵対者の第一の次元の描写を済ませるべきだ。第二の次元も示唆したい。人物の行動やふるまいの理由がある程度わかるようにするためだ。

この時点で第三の次元の表現はまだ難しいが、重要だ。

ストーリーの序盤は成長する前の人物だ。彼の行動はストーリーを通して変化し、「人物のアーク」を作る。ストーリーの最初と最後を比べれば、彼の行動や態度は違っているはずだ。

「キャンプでべろんべろんに酔う人物」は非常識で応援する気になれないが、熊に襲われれば、かわいそうだなと思う。

最初、男は怯えてうずくまるかもしれない。真の姿は臆病だ。だが、やがて男は「このままではいけない」と気づき、棍棒を手に戦う。うずくまるのも戦うのも、第二の次元に誘発された第三の次元の行動だ。

このように、ストーリーの中で第二の次元の心理はシフトすることがある。人物は何かに気づくと、自分の中の思考や恐怖を振り払い、真の姿（第三の次元）にふさわしい決断と行動をする。

第二の次元で表に出やすい心の弱さや歪みが、人物の障害になる。困難な状況に立ち向かいながら、自分の心とも戦わねばならないわけだ。

「べろんべろんに酔う」という自分の心の愚かさが、状況をさらに苦しくする。熊は酔ってなどいないから、大変だ。

人物がメインの小説や脚本（例：『トップガン』）は心の葛藤が中心と言える。バックストーリー（第二の次元）をいかに克服するかが焦点だ。

うまくできれば『トップガン』の比ではない。文学作品になるだろう。

優れたストーリーに必ずある二種類の葛藤

優れたストーリーには読者を沸かせる葛藤が二種類ある。主人公に対抗する外的要因と、主人公を引き留める心の葛藤だ。後者を「内面の悪魔」と呼ぶ。メンタルのあり方、欠点、思考パターンや、心や価値観を揺るがせる思い込みなどである。

第二の次元の心理は信仰心も含む（例：飢えた熊に左の頬を差し出せ）。自分を虐待した親への憎悪、権力者への不信、恐怖症なども主人公の決断を妨げる。

『トップガン』の主人公は反抗的で軽率で、自分と相棒を危機に陥れる。その裏には「父の汚名を跳ね返してやる。規律を無視して目立ちたい」という思いがある。彼はその思いを乗り越え、最後に偉業を成し遂げる。父がなれなかった英雄になるのだ。

海外ドラマ『デクスター』はすごい

内面の悪魔の生みの母（といぅと語弊があるが）はＴＶドラマ『デクスター〜警察官は殺人鬼』（およびジェフ・リンジーの小説シリーズ）だ。これを悪魔と言わずして何と言おう。主人公は連続殺人鬼なのだ。次々と人を殺して立ち去るサイコパス。「亡き父の声が『死に値する人間は殺せ』と言った」というバックストーリーがある。

人物設定のお手本のようなドラマだ。バックストーリーや内面の悪魔、心理学、世界観が揃っている。粘着テープの使用や血液サンプル収集といったダークな癖もある。充分に魅力的だ。

彼に殺されるのは極悪非道な人物だけだ。だから視聴者は、殺人鬼を応援してしまった自分を正当化できる。

天才的だ。

もしデクスターの内面の悪魔（彼はそれを「ダーク・パッセンジャー（闇の乗客）」と呼ぶ）が不活発、あるいは野放しだったら良さは半減していただろう。彼は人を殺す前に心の葛藤（衝動を抑えること）と向き合い、力を得る。

つまり、敵との最終決戦の前に、彼の心のせめぎ合いが描かれる。彼の殺人がリスペクトされるのはそのおかげだ。

デクスターの殺人願望にまつわるものはすべて第二の次元にある。亡霊のように表れて助言をする父もそうだ。彼はマクガフィン（プロットを進めるために出てくるもの）であり、時折姿を見せては消える。

エピソードを重ねるたびに、デクスターが人間性を取り戻していく様子が描かれる。それが第三の次元だが、真の姿はまだ謎に満ちている。彼は殺人鬼かヒーローか。あるいはその両方か。事情はどうあれ、僕らは連続殺人鬼を応援できるだろうか。

このドラマの成功の裏には視聴者の心理も寄与している。僕らは勧善懲悪が好きだ。デクスターは復讐の配達人。だから応援する。しかも、彼は自分より悪質な人物だけを狙う。

これも非常にうまい。

主人公はどうやって自分の欠点を克服するか。それがストーリーの核だ。

その克服に向けての変化が人物の「アーク（弧）」と呼ばれるものだ。内面の悪魔を設定しないとアークは生まれない。心の中の悪魔と戦い、人物は変わる。

14 人物のアークを作ろう

内面の悪魔は誰にでもある。自然に解決する程度のものもあれば、セラピーを受けても効果がないものもあり、仕事や家庭生活の問題を生む。僕らはそれを「人生の浮き沈み」として片付ける。たいていの人は自分のバックストーリーを知らないか、気にしない。それが普通だ。隠れた心理に目を向けるのは配偶者や恋人ぐらいだろう。カウンセラーやソーシャルワーカーの仕事もそうだ。重度の場合は刑務所の精神衛生専門家の出番となる。

だがストーリーは実生活とは違う。デクスターのようにリアリティの最暗部を描くと成功する。実体験から着想を得てもいいが、大胆に闇を描いてもかまわない。読者は闇の裏側をすべて知りたくなるだろう。

深い作品と、それほどでもない作品の差はバックストーリーにある。

内面の悪魔が引き起こすことよりも、いかに悪魔と折り合いをつけるかがドラマを生む。犯罪者やサイコパスが抱える悪魔は一般人のものと大差ない。ただ、悪魔の扱い方が大胆で恐ろしいだけだ。

どんな人物描写にも内面の悪魔が使える。人物がいかに対処するかがポイントだ。その対処の仕方が人物のアークになる。

内面の悪魔にはどんなものがあるか

臆病、わがまま、依存症、恐怖、虚栄心、傲慢、憎しみ、恨み、偏見、自信のなさ、愚かさ、天才、伝統、貧困、無知、社会的意識の欠落、純朴さ、道徳観念の欠落、性的逸脱……人の期待に反すること、ストーリーで共通認識される価値観に合わないもの、作者が作ったルールを逸脱する性質なら何でも当てはまる。

映画『ザ・ウォーカー』(二〇一〇)は「人を殺さなければ自分が殺される」という世界を描いている。主人公が多くの人を殺したことは正当防衛だから、内面の悪魔には当たらない。

この主人公は立体的に描かれている。冷静、有言実行タイプで意志が強い。最初から最後まで真の姿で行動している(第三の次元)。偽りの自分(第一の次元)を見せる瞬間は全くない。彼のサングラスまでもが真実なのだ。その裏にある意味(第二の次元)は結末で明かされる。第二の次元のバックストーリーに支えられたパワフルな作品だ。

第二の次元の内面の悪魔はあなたの中に、また、連続殺人鬼の脳内にも潜んでいる。書き手として、登場人物の人生を創作する神の役割を担ってほしい。

偉大なヒーローも心の中に悪魔がいる

偉大な悪者が内面の悪魔をもつように、ヒーローもまた不完全な面をもつ。完璧な人物などつまらない。悪者だって善人になろうと努力したり、「こうするのが世のためだ、仕方ない」と思って行動しているかもしれない。ただ人々を傷つけるのが快楽かもしれないが。

どちらにしても、人物が何に反応して行動するかがわかるように書こう。

人物のアークとは「学び」だ

アークとは力と洞察を得ること。欠けていたものを得ること。つかえを取ること。過去を捨てること。許すこと。大事な局面でよりよい選択をすること。

悪者がアークするのは稀だ。もちろん、これも絶対ではない。神である書き手次第だ。

人物が試練を経て成長あるいは変化をすれば、人物のアークが表れる。

人物のアークとは「結果」だ

内面の悪魔はバックストーリーの中にあり、インサイティング・インシデントかプロットポイント1までに姿を現す。物語の中盤で主人公を蝕み、主人公は「これではいけない」と考え始める。ミッドポイントの後で心の葛藤に悩む場面が描かれることも多い（第五章参照）。

ストーリーの最後のパート（後で「箱」として説明する）で主人公は以前とは異なる選択をする（第三の次元）。主人公は内面の悪魔に支配されず、よりよい選択ができるようになる。目的を果たすために自分の問題を克服する。

それが人物のアークだ。

内面の悪魔の紹介で始まり、それがどう克服されるかを見せて終わる。

例：臆病者が大胆になる／小心者が勇気を出す／無口な人が発言する／許せなかったことを許す／恨むのをやめる／わからなかったことがわかる／本心を偽っていた人が本心に気づく／不誠実な人が誠実になる／他人の言いなりになっていた人が自分の意思で行動する／弱者が強くなる／何かを疑っていた人が信じるようになる／虐げられていた人がその環境から抜け出す／被害者意識を捨てて自分で責任を負う／もらってばかりの人が与える人になる／無神経な人が思いやりをもつ／無知だった人が現実を認識する／無気力な人が情熱を得る／冷淡な人がやさしくなる。どれも人間らしい体験だ。

結末での主人公は力を得ている。まだ完璧でなくても、目的を果たすに足る変化をさせよう。それが物語のテーマを伝える。

この学びはじっとしていても起きない。人物が葛藤し、試行錯誤し、行動した結果として起きる。ストーリーの中で主人公は体験して学ぶのだ。

「見せろ、語るな」とよく言われる

人物のアークには「見せろ、語るな」の原則が当てはまる。人物が変化したことを説明せず、人物が悩みながら進む姿を描写し、読者に変化を感じ取ってもらえるようにする。「ある朝、目覚めた途端に気づいた」では納得してもらえない（超常現象のストーリーが単調になりがちなのは、主人公が第六感や啓示などで一瞬にして何かを知るからだ）。

『トップガン』の主人公は組織の一員になることを学び、恋を実らせる。仲間を大事にすることを覚え、国を守る。実を言えば、この映画は人物設定の好例とは言い難く、ストーリー自体も薄い。よい点と言えば空母から飛び立つ戦闘機のかっこよさだけだったりする。

だが、最高の学びはどこからでも得られる。人生でもそれは同じだ。

サブプロットでの人物のアーク

サブプロットとは「メインのプロットに従属し、かつ関連する筋」だ。内面の悪魔に注目しながら人物の背景を語ると充実する。サブテキスト（言外に含まれた意味）も生まれる。そうなれば素晴らしい。二種類のサンドウィッチをメニューに入れるようなものだから、賢く料理していこう。人物のアークにつながるテーマ（次の項で詳しく述べる）を立てるといろいろなことが描ける。

スリラーもののサブプロットなら主人公の逃げ腰な性格や、誰かの命の危機など。内面の悪魔に従う限り、敵に立ち向かえない。主人公の脆さがプロットの緊迫感を増す。

ラブコメやシリアスな恋愛ものなら、仕事優先のヒロインが恋に臆病になっている部分など。優柔不断さがサブテキストとなり、「実は臆病な私（＝内面の悪魔）」をメインプロットにも組み込める。職場で彼女に無理やり忠誠を求める人物が出るとさらにいいだろう。

恋人同士のラブストーリーでは心の葛藤がドラマの中心になる。人物の外側にある対立関係（例：

恋人の転勤が決まり、どうするか悩む）はサブプロットになる。

家柄の違いで周囲が恋に反対するなら、それがメインプロットの主な葛藤になる。両家の軋轢を示すサブテキストが多く生まれるだろう。

映画『タイタニック』がそうだ。船の乗客全員の階級差が表現全体に表れている。船の沈没事故はサブプロット。いずれ沈むことは誰もが知っている。緊迫感といえば、傾く船の特殊映像のすごさぐらいだ。

船がメインプロットだと言う人もいるだろう。ただ、どちらのプロットも社会の階級差を示すサブテキストでいっぱいだ。

サブテキストは通常、第二の次元に属する。強い思考パターンの中に潜み、感情的な反応を生む。ストーリーの前半では第一の次元に表れ、人物が内面の悪魔の克服に向かう後半では第三の次元の表現となる。

サブプロットはメインプロットと同じ構造で進む

サブプロットは地味で単純だ。人物の選択肢が狭められ、行動に影響が出るようにすれば、やがてメインプロットとうまくつながるだろう。

プロットポイント１（インサイティング・インシデント）で事件が起きた時、人物は自分の心の弱さに揺れるに違いない。その方がメインプロットが躍動する。

内気なヒロインがプロットポイント１で「管理職に抜擢される」としよう。何もかもが不安で後ずさりしたくなるだろう。メインプロットが「傾いた社運の立て直し」「上司の不正告発」だとすれば、ヒロインにとって大変な課題だ。

前半はヒロインが内気な性格をどうにかしようと努力する姿を描く。ここではまだサブテキストだ。内面の悪魔との戦いは激化し、プロットポイント2で大きく跳ね上がる（例：自分を抜擢した上司の汚職を告発するため幹部に直訴する）。幹部は彼女の剣幕に驚き、発言に耳を傾ける。内面の悪魔はメインプロットの解決にも貢献する（淡いラブストーリーに発展も可能）。ヒロインは内気さを克服して上司を告発するか。彼女の内向的な性格を表すサブテキストの中で、サブとメイン両方のプロットが合流し、解決になだれ込む。

サブプロットを切り離し、完全に独立させてもかまわない。その場合、人物のアークをサブプロットでも設定しよう。メインプロットでの行動や態度とからみ合うほどよい。

人物のサブテキストの作り方

人気海外ドラマ『バーン・ノーティス　元スパイの逆襲』のマイケルは自分を解雇した人物を探す課報員。彼にスパイ失格の烙印を押したのは誰なのか。毎回のエピソードで彼の能力の高さを見るたび、同情の念がわいてくる。

メインプロットはマイケルが目の前の事件を解決する様子。サブプロットは気性の激しい相棒との恋愛で、事件解決に向けての彼と警察の競い合いも含まれる。サブテキストは彼が「バーン（契約解除)」されていることだ。各エピソードの終わりにシリーズ全体のメインプロットとして描かれる。身分を消された話もサブプロットだ。サブテキストでもありサブプロットでもある。

そういう言い方があるのだな、という程度で読み流していただければ結構だ。

ここでは「プロット」「サブプロット」「サブテキスト」の三つが動いている。どれもストーリーの原材料で、人物のアークと連動している。

うまく連動させて物語を作るには高い技術が要る。

この連動のさせ方が、無計画に書く人(パンツァー)には難しい。実際、多くの人が失敗する。上手に書かれた作品を読んでも、連動の仕組みは見えづらい。「適当に書けばいつかそうなる」と思っていると何度も書き直すはめになる。

『バーン・ノーティス』ほどの上級レベルに近づくと、物語を小分け(ビート)にして計画を練るようになるはずだ。執筆前の計画に時間を費やすようになる。

人物に注目してサブプロットを要約すると、疑問文の形になる(例:二人は恋におちるか/彼女は仕事を得るか/二人は勘当されるか/生きるか死ぬか/船が沈没する前に結ばれるか)。サブプロットを作る時は第二の次元、内面の悪魔を見るといい。

サブテキストは社会や心理、経済などの状況的なプレッシャーがあることを示す。人物はそれに影響を受け、ふるまい方などを決める(例:新人政治家は政界に慣れようとして苦労する。政界特有のマナーだけでなく、党の政策を全般的に知らねばならない)。

ここでも第二の次元(心理とバックストーリー)が豊かな発想を生む。

サブプロットの作り方の補足

ジョン・アーヴィングの小説『サイダーハウス・ルール』のサブプロットは青年ホーマーとキャンディの恋だ。メインプロットの進行と共に見守ろう。全体のサブテキストは生命権と中絶の権利にあり、人物たちへの重圧となる。

この場合、サブプロットは人物、サブテキストはテーマだ。よくある組み合わせだから、注目して使ってみてほしい。

『トップガン』のサブプロットは主人公が美人教官に抱く恋心。大騒ぎが予感できそうだ。メインプロット（弱いと言われるが）は主人公が訓練に合格して敵の攻撃を食い止めるかどうかだ（ここでメインプロットとサブテキストがつながる）。

だが、『トップガン』のサブテキストは問いではなくプレッシャーだ。主人公の父は軍人として名誉を失った。父のことをよく言う者は誰もいない。だから彼は荒っぽく、無茶な行動ばかりする。

プロットとサブプロット、サブテキストを作る際は人物の視点で考えよう。そうすれば主人公のアークは大きく深くなるだろう。

15 人物をパーツに分けて考えよう

ストーリーがうまく運ぶ時はコア要素がまとまって機能している。スパイスを混ぜておいしい料理ができあがるように。

ベストセラーが書かれた経緯は三種類ある。（1）要素と過程と混ぜ合わせ方を知って書いた。（2）知識はないが、ひらめくままに書いた。（3）運がよかった。

僕は運に任せたくない。勘には頼るが（経験で培った勘だ）、自由な発想を縛らない程度に原則を知る方が気が楽だ。

計画するとストーリーに力が生まれる。パンツィングも計画のうちだ。ストーリーを探す作業をそう呼ぶだけである。

過程の中で最も重要なのは人物作りだ。プロット同様、ていねいに計画しよう。

人物像を練ると、構成や転換点の設定にも役立つ。

テーマを運ぶ車両のような役目もしてくれる。

素晴らしいコンセプトを拡大し、輝かせてくれる窓でもある。

人物はシーンの焦点であり、書き手の声を届ける歌詞のようなものでもある。

多くの人が驚くだろうが、人物は構成でもある。人物のアークはプロット同様、四部構成にも沿うからだ。

構成としての人物

構成を「四部」でなく「文脈と使命」に注目して見てみると（第五章で詳しく述べる）、人物のアークにつながる呼び方ができる。

四部構成で人物作りもできるのだ（映画脚本では三幕構成と呼ばれる。第二幕が前半と後半に分かれ、ここで言う四部に相当する）。ストーリーのパート2には人物のパート2の流れを書くということだ。

複数のプロットを並行して立てつつ、それに合わせて人物の変化が描けるのだ。

四部構成とはこのストーリー全体を約四等分して流れを組み立てる方法だ（各パートはストーリー全体の約二十五パーセントずつとなる）。人物面から見ると、四部を通して二つの使命が存在する。一つは情報提示。もう一つは人物のアークだ。

これは大きな道標だ。プロットと人物の両方の展望が得られる。

特に、書きながら考える人にはかなり役に立つはずだ。

では、具体的に見ていこう

見慣れない名称が出てくるだろうが、「人物とプロットをどう提示するか」という視点で捉えてほしい。人物とプロットの融合については第五章「構成」で述べる。

バックストーリーと人物の心の葛藤、アークがわかれば、人物とプロットはうまく融合できる。

パート1の人物の文脈

ストーリーの初めの部分を「設定」と呼ぶ。主人公がどうなるか、どんな敵対者と衝突するかはまだよくわからない。読者と主人公との出会いの部分だ。主人公が何を求め、何をし、どんな人物かを三つの次元から眺める（九節参照）。

それが全体の二十五パーセントあたりまで進むと、プロットポイント1ですべてが大きく動き出す。人物は当初の夢や計画から振り落とされる。進路変更の始まりだ。

人物が外に見せる顔（第一の次元）は最初の二十五パーセントの中で充分に描いておく。ニュアンスが何を意味しているかはまだよくわからず、この先、主人公が何を実現させるかも部分的にしか見えない。

主人公が表に見せる顔が「わざと人々を避ける」なら、最初の二十五パーセント（プロットポイント1の前）までにその様子を描写する。

そのすべてがプロットポイント1を転機に大きく変わり始める。

最初の二十五パーセントはバックストーリーを初めて紹介する場所でもある。主人公が抱える内面の悪魔と、その悪魔に影響されてどんな顔を世間に見せるかを描く。

パート2の人物の文脈

最初の約二十五パーセントを描いてプロットポイント1まで来ると、主人公は全く新しい問題やニーズに直面し、リアクションをする。尻込みしたり、調査したり、挑戦したり、不信感を見せたりするが、まだ本腰を入れて取り組まない。

主人公は選択肢を探してさまよっているとも言える。失敗もする。古い思考パターンや内面の悪魔（人物のアークの開始点）に惑わされ、まだ全力で進めない。

問題を解決するには早過ぎる。今はまだ、敵対者の方が有利だ。主人公は自分が何と戦っているかもまだ理解しきれていない（現時点で気づいているかはわからない）。そんな主人公の不完全さに読者は共感し、応援し始める。

早く何かしなければ大変なことになりそうだ。命の危険を設定する作品も多い。

主人公が表面を取り繕い続ける限り（第一の次元）自由にはなれない。なぜそんな選択をし、どんな痛みを隠し、どんな幻を見ていたいのか——その心理（第二の次元）を掘り下げ始めよう。いずれ捨てねばならない仮面とは何かが見えてくるだろう。

パート3の人物の文脈

手がかりもなくさまよい、強敵にやられて打ちひしがれた主人公は希望を見出す。学んだことを生かす時が来たのだ。決意を新たに、内面の悪魔を振り切らねばならない。生まれて初めての挑戦かもしれない。

二番目の二十五パーセントで「反応」モードだった主人公は、三番目の二十五パーセントで積極的に攻める。簡単には成功しない（させてはいけない）が、戦わずに退散はしない。主人公は心身両面から全力で戦う。

パート3では第二の次元に潜む内面の悪魔の弊害がはっきりと表れる。面白いことに、主人公自身もここで気づき始める。

パート4の人物の文脈

パート3で主人公はヒーローになる。自他共に認められる決断と行動をする、という意味だ。ここはストーリーの最後の二十五パーセント（映画脚本では第三幕）。主人公は失敗から学び、敵や障害と対決する力をつけている。成長した主人公はもう尻込みしない。苦手なことに果敢に取り組む。内面の悪魔を払拭し、危険を顧みずに飛び込む。

ヒーロー的な結末の黄金律

ヒーローと呼ばれるからには救助する側にいなくてはならない。

つまり、主人公が自ら決着をつける。最後の最後で傍観者になってはいけない。自分で変化を起こし、反撃し、引き金を引き、危機から救い、最終決定を下し、危険を冒し、想像を絶する行動に出るべきだ。

主人公を絶体絶命にしておいて誰かに救助させるのは最悪の終わり方だ。

運が尽きたとしても、自分で何かを解決させよう。それがアーク（変化）だ。ストーリーの中で何を学び、何を克服したか。その結果を描いてほしい。

たまたまラッキーで望みが叶う終わり方も避ける。ご都合主義のエンディングは「デウス・エクス・マキナ」と呼ばれる。ラテン語で「機械から神」（いきなり神がすべてを解決してしまう）という意味だ。このパターンの結末が見えた時点で原稿は却下されるだろう。

ネルソン・デミルの小説『ナイトフォール』はＴＷＡ八〇〇便墜落事故（実際に起きた悲劇）をフィクションに用いている。最後に主人公が勝利するのだが、主人公本人は直接関与していない。真実を示す証拠がテーブルの上に並べられ、関係者が記者会見に臨むだけの場面で終わる。ストーリー的に大コケの危険を冒しているのだ（著名な作家だから許される、と言える）。ただ、この記者会見はあの二〇〇一年九月十一日の午前九時にニューヨークの世界貿易センターのノースタワーで開かれる設定だ。

この日に事件が起きたのは事実だからデウス・エクス・マキナではない、との反論はあるかもしれないが、偶然に頼っていることには変わりない。ベストセラー作家でもない限り、こうした展開は避けるべきだろう。

『The Hero Within: Six Archetypes We Live By（内なるヒーロー――人生の指針となる六つのアーキタイプ［未邦訳］）』でキャロル・S・ピアソンは人物の四段階を「孤児／放浪者／戦士／殉教者」と呼んでいる。いい呼び方だが主人公が最後に死ぬ必要はない。命を賭ける意志があればいい。

四段階に自分で名前を付けてもいいだろう。困惑→不安→怒り→叡智。無自覚→驚き→集中→勇気。無知→混乱→集中→英雄。運命を背負う者→反応者→攻撃者→救済者などだ。

だが、最後は主人公をヒーローと呼ぶのが一番いい。

呼び方は何でもかまわない。四つのパートの文脈と人物のアークを理解し、読者の感情移入を促すことが重要だ。

人物についての質問リスト

人物作りのノウハウは非常に多いが覚えにくい。構成と違ってテンプレートも形式もないからだ。質問形式のチェックリストを挙げておく。執筆前によく考えて答えてほしい。

◆人物のバックストーリーはどのようなものか。どんな経験が現在の思考や感情、行動に影響を与えるか。

◆内面の悪魔は何か。人や物事と対立した時、内面の悪魔は人物の決断や行動にどう影響するか。

◆人物は何に憤っているか。

◆何に対して復讐心が燃えるか。

◆人物は自分をどう感じているか。自己評価と周囲の評価との間にどんなギャップがあるか。

◆人物の世界観は?

◆人物の倫理観は?

◆人物は他人に与える人か、それとも受け取るばかりの人か。

◆人物は男女の社会的役割や固定概念にどの程度こだわっているか。男女のいずれにも属さないなら、他の人々とどう異なっているか。

◆人物がまだ人生で学んでいないことは何か。

◆体験はしたものの、学びを拒否した、あるいは学ばなかったことは何か。

◆人物の友達は誰か。似た者どうしか、賢さに差があるか。

◆人物の社交能力はどうか。引っ込み思案か熱心か。リラックスしているか。パーティーでは隅っこで黙っているか、完全にうわべを取り繕うか。

◆人物はどの程度内向的、あるいは外向的か。実生活にどう表れるか。

◆人物が最も秘密にしている望みは何か。

◆子供の頃の夢で実現しなかったものは何か。なぜ実現しなかったのか。

◆人物の宗教やスピリチュアルな信念体系は？
◆人物がこれまでにした最悪のことは何か。
◆人物には秘密があるか。誰も知らない活動や暮らしがあるか。
◆人物のパートナーや親友、雇い主は人物についてどんなことを知っているか。
◆いつ、どのように、なぜ人物はやる気が出せず、物事を先延ばしにするか。
◆何が人物のやる気を妨げてきたか。
◆人物が死んだら、葬儀に何人が出席するだろうか。出席しない人の理由は何か。
◆人物の最も意外な面、あるいは最も矛盾している面は何か。
◆人物が世間に見せる癖や習慣（第一の次元）、特徴や選択は？
◆なぜその特徴が表に見えているか。何を表現しているか、あるいは隠しているか。
◆その選択に結びつくバックストーリーは？
◆人物の人生に影響を与える心の傷は？　その傷とバックストーリーとはどう関係しているか。
◆人物はプレッシャーに対してどれぐらい強いか。
◆ストーリーの中で人物はどのようにアーク（変化）するか。結末に向かって、学んだことをどう生かすか。

人物の癖や面白い特徴を付け足すよりも、ずっと深い質問ばかりだ。ここまで掘り下げれば表面的な癖は何だっていいと思えてくるだろう。「癖や特徴を与えたら人物設定は終わり」ではなく、氷山の一角として生かせるようになる。主人公と敵対者についてすべて答えたら、深いニュアンスが自然ににじみ出るはずだ。

無理に考えようとしないこと

深い作り込みは主人公と敵対者だけ。脇役には不要だ。

問いの答えが明確になればなるほど人物像は早く具現化する。原稿を書きながら考えようと思うなら、何度も見直しと書き直しに迫られるか、深みを出すこと自体をあきらめるようになるだろう。

ストーリーが完成すれば同じだ。執筆しながら設定を考えるのもプランニングには違いない。

人物とは何かを議論すれば、最後にはみな同じに思えてくる。ストーリーとはプロットだ。プロットとは人物だ。人物とはテーマだ。ストーリーとは構成だ。

どう進めようと、完成するまでの過程はストーリーのプランニングに他ならない。

そう、完成するまでの過程はすべて計画だ

コンセプト／人物／テーマ／構成はストーリーの熱で一つに溶け合う。レシピを見て作るシェフも、頭の中で新作メニューを考えるシェフもいる。どちらも緻密な計算の上だ。

「どんな料理ができるか全然わかりません」と言うシェフはいない。材料をカウンターの上に並べて見渡し、完成した料理を思い浮かべ、好みのスパイスや芸術的なタッチを加える。

ごちそうを作ろう。

第4章 コア要素 その3 テーマ

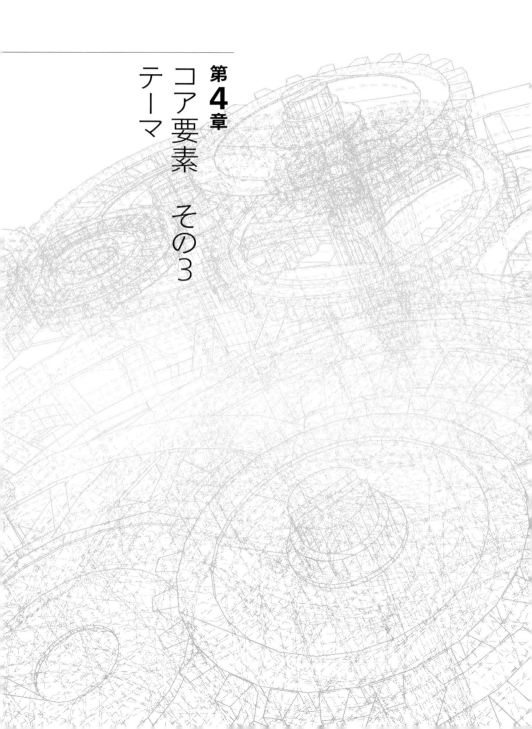

16 テーマを決めよう

「いったい何が言いたいの？」と思う小説や映画に出会ったことがあるだろう。

いや、なかったかもしれない。売り出す前にみな修正される。初めから完成度の高いストーリーを書けばいい。優れた読み手は「プロット」と「ストーリーが意味すること」をすばやく見抜く。

後者に当たるのがテーマだ。六つのコア要素の一つだ。一流作家の作品はプロットとテーマの両方が優れている。

『ダ・ヴィンチ・コード』は誰もが読んだことだろう。それほどの部数が売れている。美術館の学芸員の惨殺事件で始まる犯罪ものだ。彼は自らの血で犯人への手がかりを残していた。謎解きに協力する主人公は何者かに命を狙われ、ミステリーはスリラーへと加速する。

『ダ・ヴィンチ・コード』とは何かと言えば、プロットだ。

だが、作品の魅力はそれだけではない。これはキリスト教の真実を問う物語でもある。年月と共に葬られた事実があるとストーリーは言う。後は読者がどこまで信じるかだ。

それが『ダ・ヴィンチ・コード』のテーマ的な側面である。

テーマとは何かを理解する

僕のワークショップではいつも「テーマとコンセプトの違いは何ですか」と質問が出る。それは「ほうれん草とステーキ」の違いを問うようなものだ。両者は全く別物だが、一緒に出せばバランスのとれた食事になる。単品でもおいしいが、完全な食事にはならない。

コンセプトについては第二章で詳しく述べた。これからテーマについて見ていこう。

簡単に言えば、テーマとは「ストーリーが意味すること」だ。世の中や人生との関わりだ。問題や体験を語ることだ。広い話題を指すこともあれば、何かに対して具体的なスタンスをとることもある。

テーマとは真理や教訓でもある。どれほどはっきり打ち出すかは人それぞれだ。文脈を通して表してもいいし、物語の中心に据えてもいい。そうは言っても、まだピンとこないだろう。だからテーマは理解しにくい。

テーマはストーリーの生命に匹敵する。物語で描くリアリティに反映される。テーマになるものはいろいろある。愛と憎しみ、若気の至り、ビジネスの裏切り行為、息苦しい結婚生活、宗教団体の真相、天国と地獄、過去と未来、社会対自然、裏切りと友情、忠誠、あくどいやり方、富と貧困、慈悲と勇気と叡智と欲と虚栄と笑い。

テーマは生きることそのものを表す。読者はストーリーに描かれたものを人物の目線で見て、プロットを通して体験する。

テーマとは「いかに読者の心に触れるか」だ

テーマは読者の心と知性を刺激する。プロットに凝ったものでも（謎解き系のミステリーに多い）、人物の姿を描くものでも同じだ。

僕らが本を読んで考え、心が動くのはテーマの力があるからだ。読者を物語に引き込み、記憶させるのもテーマの力だ。作品の成功を左右する。

出版の可能性も、書き手の収入と知名度もテーマの力にかかっている。

テーマがなければ、どれも達成不可能だ。

テーマを考えるのは難しい。ぐじゃぐじゃの言葉の中から、あるいは、言葉が燃え尽きて残った灰から浮かび上がることもある。読み終えて「いいストーリーだな」と感じた時はテーマが生きている。書き手の腕の見せ所だ。どういう過程を踏めばそういうものが書けるかはわからない。

だから、テーマをきちんと考えず、偶然に任せてしまう人が多いのだ。「読者が自由に感じ取ってくれればいい」と言うのは、読者の心に触れる努力を放棄したも同然だ。

テーマに対して積極的になろう。自然に任せず、自分で考えよう。抑えた表現からかすかに香る程度を目指すとしてもだ。

ストーリーとテーマ、テーマとストーリー

両者は重なる部分がある。優れた作品では両方が機能している。

セミナーを受けてから自分で書こうとする時、テーマをよく考えずに始める人が多い。これでは先が苦しいかもしれない。

書きたいストーリーの意味が自分でわかっていても、読者に伝わるかは別問題だ。真剣な書き手は「読者をあっと言わせよう」とは思わない。ロバート・マッキー氏が酷評する『シックス・センス』のようなストーリーを書く時も、シリアスな書き手は深い意図を自分で探る。どんでん返し以上の意味を物語にもたせるなら、かなり掘り下げて考えねばならない。

テーマ以外のコア要素がしっかりしていればいいかもしれない。ドラマの展開に合わせて人物を描いていけば、テーマは必ず表れる。人生について何も語れないなら、人生について書けないはずだ。ストーリーに力があり、人物に深みがあり、コンセプトで選んだ風景が普遍的でわかりやすい時、テーマが浮かび上がる。

それでもやっぱり、テーマが見えない時もある。何かを伝えたい気持ちが強いほど、テーマを練って戦略的に書きたくなるだろう。その意図をもつだけで充分な時もある。

自分でテーマがわかっているだけでは心もとない。飛行機を離陸させたはいいが、その後の操縦をどうするか、という感じだ。テーマをいかに書いていくか、実践的な知識が必要だ。

それを見ていこう。

17 テーマに沿って書こう

人物や構成のセオリーは複雑に見える。テーマも難しそうだなあ、と思う人もいるだろう。

だが、書く段階になるとそうでもない。前節で述べたように、人物をアークさせるだけでテーマが自然に表れることもある。もちろん、テーマを練ってもいいが、こだわり過ぎると説教くさくなりがちだ。正直なところ、出版や映画業界によくある。

テーマは健康に似ている。僕らは常に健康状態に左右され、状態が悪いと活動に支障が出る。健康がなくなると命は危うくなる。

テーマを大事に育てるとストーリーはよくなる。「別に、いいストーリーにならなくていいですよ」と言うならテーマは放置すればいい。ストーリーの種類や人物のアークの程度によっては、そうしたスタンスで全く問題ない場合もある。

ただし、テーマを自然に引き出すには相当の腕前が必要だ。

ある話題に対して特定のスタンスをとって書くなら、人物のアーク以外にも考えるべきことがある。

これも手腕が要る。

「テーマなんて簡単さ」と言った人は誰一人としていない。

テーマに沿って書くための下地

プロと新米、（努力の末の）天才、苦戦中の見習いとの違いはテーマに表れる。プロは二つに分けて考える。「人物のアークが自然にテーマを表す場合」と「特定のテーマを伝えるために人物のアークを作る場合」だ。

二つの例を見てみよう。

『ダ・ヴィンチ・コード』の売りは視点にある。作者はそう思っていなかったとしても、宗教問題と歴史の真相について、具体的な結論を導くように書かれている。その分、ストーリーと人物のアークは影が薄い。強く打ち出されているのは「キリストは十字架の上で死んではおらず、マグダラのマリアとの間に子をもうけた。カトリック教会はこの不都合な真実を隠蔽した」という結論だ。これは物議をかもした。

シニカルな視点かもしれない。説得力があるかは疑問だ。しかし、商業的には大成功だ。すべてはテーマにある。この作品は複数のテーマを持っている。読者に挑戦し、感情をかき立てるストーリーはみなそうだ。

一方、ジョン・アーヴィングの『サイダーハウス・ルール』は生きる権利や中絶、孤児といった問題について描いている。ダン・ブラウンとは違い、この作品でアーヴィングは偏った視点をとっていない。人物たちを通して賛否両論を描き出し、選択の難しさやなりゆきを見せている。読者は相反する感情を体験し、どちらの側に立つかを自分で決める。闇に光を当て、読者にさまざまな視点を与えているのだ。

ダン・ブラウンはある問題に対する一つの視点を示し、アーヴィングは問題について探求したと言えるだろう。書き手として自分がどちらのアプローチを選ぶか明確に知るべきだ。

コンセプトとしてのテーマ

テーマとコンセプトは互いに依存し合う関係だ。ややこしいが、コンセプトがテーマを表す時もある。『ダ・ヴィンチ・コード』がそうだし、映画『幸福の条件』(一九九三)も好例だ。結婚についてこれほど議論を呼んだ作品は珍しい。問題提起が作品の意図だったからだ。どうしても百万ドルが必要な時に大富豪が現れて「君の奥さんを一晩だけ貸してくれ。そしたら全額を差し上げよう」と言ったらどうするか。条件をのめばどんな結果になるか。

優れたコンセプトは即座にテーマを示す。『ダ・ヴィンチ・コード』や『幸福の条件』は顕著な例だ。

秘密兵器としてのテーマ

「文体なら誰にも負けないのに」と悔しがる人たちがいる。文体は六つのコア要素の一つだが、有名作家の文体がそれほどすごいとも思えない。ジョン・グリシャムやマイケル・クライトン、マイクル・コナリー、ダン・ブラウン、ノーラ・ロバーツ、ジャネット・イヴァノヴィッチ――誰もピューリッツァー賞候補になりそうにない。だが、こうした売れっ子やプロの作家は六つのコア要素を駆使し、テーマ性も抜かりない。彼らの成功は文体ではなく、テーマを描く力にある。

テーマ的な意図がなければ陳腐な昼ドラみたいになってしまう。むしろそれが好きという人たちもいるが、自らそれを「ジャンク小説」と呼んだりする。そうした作品も出版されてはいるが、所詮は狭いニッチなものだ。主流として売れる可能性は低い。どんでん返し系のシナリオもテーマ性がなければ売れない。狭いニッチで大成功したマイクル・コナリーやテリー・ブルックス、ノーラ・ロバーツらは刺激的なテーマを作品に盛り込んでいる。それは偶然ではない。

テーマを読者任せにするのはやめよう。執筆前に計画し、大切にしながら執筆しよう。強いテーマは編集者が探し求める魔法の薬だ。

テーマの尺度

一本の線の上に0から10の尺度があるとしよう。0はテーマらしきものが皆無のストーリー（海外ドラマ『となりのサインフェルド』のようなもの）。10は純然たるプロパガンダ。ある観念を強く打ち出しているというだけで、悪いわけではない。C・S・ルイスやL・ロン・ハバードの小説がそうだ。堂々と世界観を売っている。

尺度の中間にあるのが「探求」だ。ジョン・アーヴィングの『サイダーハウス・ルール』のように豊かな人間模様を描くもの。ある価値観に疑問を投じ、賛否の議論を呼び起こすもの。

中間あたりが安全なエリアだろう。極端にならずに済む。

ダン・ブラウンなら、極端を狙うのは素晴らしいビジネスモデルだと言うかもしれないが。どうするかは自分次第。狙わなければ、作品はそれなりの場所に落ち着く。

テーマの力をテストする

テーマの力を査定するには「何についてのストーリーなの？」という問いに答えてみるといい。「二人の男が販売会議でクビになって銀行強盗する話」と答えるか、「経済の闇とプレッシャーのために道徳がめちゃくちゃになる話」と答えるか。

最初の答えはテーマとは呼べない。テーマが潜在的にあるのはわかる。二番目の答えはテーマだ。具体的な筋はわからないが、強いストーリーの可能性を感じさせる。

どちらの答えも間違いではない。両方が合わさるとさらにいい。前者のようにあらすじが伝わる言い方を選んでも、後者のように意味が伝わる言い方を選んでもかまわない。

大切なのは、あなたが感じる衝動だ。「何についてのストーリーなの?」という問いに答えようとした瞬間に感じる衝動が、テーマを伝えようとする意図の鮮やかさ、強さを示す。

それがシーンを書く活力になる。意図を知れば積極的になれる。テーマを強く打ち出して書けるようになるだろう。

18 テーマと人物のアークの関係を知ろう

小説『エクソシスト』の作者ウィリアム・ピーター・ブラッティのように人物を掘り下げて描き、自然にテーマが表れるのを期待してもいい。テーマ性の尺度を中庸にしたい場合や、ジャンル性や結末の魅力を打ち出す場合はそれでいいだろう。

主人公が学べば読者も同じ学びを得る。それでテーマが伝わる。

「アルコール依存症に悩む主人公」の物語は本人の内面の悪魔と、家庭環境などのバックストーリーから生まれる。それらを乗り越えなくては結末に到達できない。だから依存症から克服までのアークを作ることになる。

もともとアルコール依存がテーマではなかったかもしれない。書けるかどうかわからないが、いいコンセプトなので捨てがたいと思ったかもしれない。それでも人物に悩みや問題を与えた瞬間、書き手は人物と同時にテーマを考えている。内面の悪魔の問題は特にそうだ。

いずれ六つの要素を同時に考えるようになるだろう。とりあえず今は二つだ。

テーマを得たドラマが「依存症の克服方法」といったハウツー本のような形になることはめったにない。ストーリーとして書くなら、例えば「酒のために崩壊寸前の家庭を立て直す夫」などになる。彼の依存症がドラマの中の試練となる。内面の悪魔が原因だとわかれば読者は感情移入する。外部の敵や障害を設定するなら「妻は離婚を望み、他の男と交際する」など。主人公は急いで何かをせねばならない。だが、妻の心を取り戻そうとするたび、内面の悪魔（うまくできた物語ほど内面の悪魔が活躍する）に邪魔をされ、また酒を飲んでしまう。

こう書くだけでテーマが見えてきそうだ。人物像をリアルに作れば、選択によってどんな道を歩むかが伝わる。

主人公の依存症克服は人物のアークになる。唐突に酒をやめるのでは説得力がない。人物の願望や体験、選択の結果に到達すべきだ。人物は身をもって試行錯誤する。

主人公にとっては、ストーリーが学びの場だ。主人公が学ぶ場面があるからだ。

どこかのセミナーで講師が「見せろ、語るな」と言っていたなら、このことだ。「見せろ」とは主人公の体験を描けということだ。

人物が見せる二種類のテーマ

人物のコンフリクト（葛藤、対立）は二種類ある。「心の中の葛藤」と「周囲との対立」だ。心に葛藤があれば周囲との対立への対処もうまくできにくい。心の内と外とは同時進行だ。一つの葛藤がもう一つに影響を与える。

二種類のコンフリクトが等しくドラマチックな作品もある。ベストセラー小説や大ヒット映画はそうだ。何度か紹介した映画『トップガン』もそうで、マーベリックが荒々しい心を抱えて生きる姿がドラマを生む。それ以外はスカスカだから、シナリオや文学としては評価が低い。

心の葛藤はミステリーものの刑事によく見られる。暗い過去や意志の弱さ、依存症などの弱点があり、内面の悪魔が生かされている。世界観や自意識は過去の罪や離婚で傷ついている。事件の核心に近づくにつれて心の葛藤が強くなる。心理学的な型ではなく心象風景に基づくと、豊かなテーマ性が生み出せる。

このように構想すると最初からテーマ的に考えることができる。対外的に展開するプロットと共に、心の葛藤も考え出せる。主人公が苦悩しながら何かを探り、経験し、成長すればテーマが表れる。

テーマが最優先の場合でも、心の葛藤を盛り込もう。それを人物のアークに入れれば申し分ない。テーマ性があまりにも強いと思想の押しつけのようになり、度を越せばプロパガンダになってしまう。視点に凝ると神の目線ですべてを語り過ぎることになるか、一人称での語りに集中し過ぎる。どちらもストーリーにとってマイナスだ。

見せろ、語るな。描写しろ、説明するな。適度なタッチでベストセラーを目指そう。

『ダ・ヴィンチ・コード』に人物のアークはあるか？

『ダ・ヴィンチ・コード』の主人公のアークはないに等しい。ストーリーに絶賛の声がない主な理由はそこにある。作品が大成功した要因は非凡なコンセプトと複合的なテーマだ。人物やプロット、語り口ではない。

アークさせれば売れるわけでもない。ジェームズ・ボンドのようなシリーズものの主人公は続編がいくら出てもほとんど変化しない。人物の魅力に頼るところが大きく、テーマといえば「ボンドは爆破を止められるか」程度のものだ。だが、そんなシリーズものも最近では主人公のアークやストーリーのテーマ性を意識し始めている。映画化されたバットマンやスパイダーマンはみなバックストーリーをもっている（原作のコミックには豊かなバックストーリーがある）。内面の悪魔も設定され、観客の感情移入が深まるよう作られている。ファンが「ジェームズ・ボンドはどうでもいい、バットマンが気になる」と言うのは、人物を通してテーマが描かれているからだ。

『ダ・ヴィンチ・コード』の主人公ラングドンは心の葛藤を見せる場面がほとんどないため、アークもできない。ボンドと同じく最初から完璧で平面的だ。それでも印税三億ドルを稼いだのだから、ダン・ブラウンはよしとせねばならないだろう。

『ダ・ヴィンチ・コード』の教えは二つ。まず、テーマの力だ。次に、基本に忠実にしても売り上げに結びつくとは限らない、ということ。もしも後者を自分に対する言い訳にすれば、不安や苦しみから抜け出せない。ストーリーの原則は無視できない。引力の法則と同じで、逆らうなら結果は自己責任だ。早く飛び方を覚えた方がいい。

テーマの力がわかれば、翼を得る日も近い。

第5章 コア要素 その4 ストーリーの構成

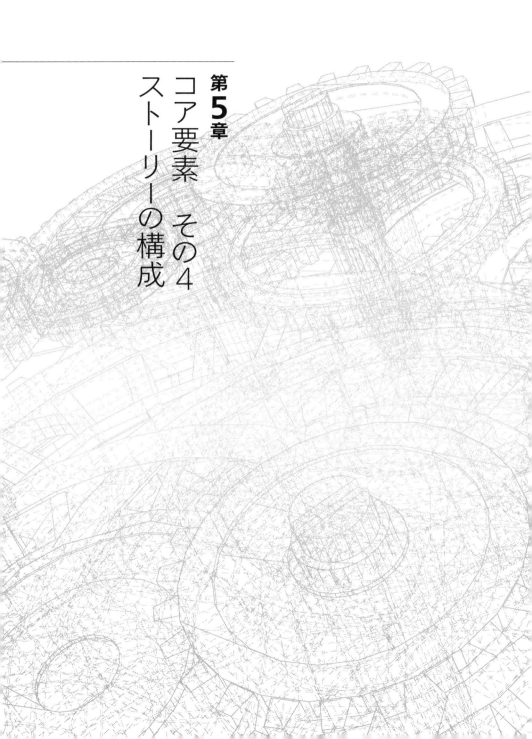

19 構成の必要性を知ろう

本やセミナーの教えは素晴らしいが、全体的に大雑把なせいで難しそうに見える。いろいろな注意点があり、いろいろな意見があり過ぎる。結局、書き手は自分で方法を選ばなくてはならない。特に、ストーリーの構成については意見が分かれる。

シナリオと違い、小説には構成の厳密な「ルール」がない。ルールが嫌いな人は構成すら勘弁してほしいだろう。しかし、今の市場は基準に沿った作品を求めている。売るなら市場に従うべきだ。そうしない限り、却下され続けるに違いない。

執筆過程を小分けにすると

セミナーに行くなら、内容の区分けに注目してみてほしい。名は売れていないが実力のある講師（有名作家は教える時間が取れない）がこんな項目を挙げているはずだ。「物語のテンションの高め方」「持ち込み原稿を印象づける」「よいタイトルの付け方」「楽しい構文」「会話文を書くヒント」「セックス描写を充実させる」「クリエイティブになる方法」。

役立つ情報を入れた小さなバケツが並ぶかのようだ。しかし、これらのバケツの中身を一つにまとめる方法を教えてくれる場はほとんどない。

これでは困る。あらゆる項目の関係作りとバランスが名作を書く秘訣。ばらばらに理解するより、融合させる技が必要だ。

有名作家はなぜ有名になったのか。もし、あなたが「アイデアと文章力なら負けないのに」と思うなら、融合のさせ方に差がある。

全体像を把握する

ストーリーで最も大切なのはコンフリクト（葛藤、対立）だと述べた。

コンフリクトがなければストーリーは成立しない。

コンフリクトを構築するには構成を知らねばならない。構成がなくてもストーリーは成立しない。ストーリーはコンフリクトをドラマ的な緊迫感にする。ドラマ的な緊迫感がなければストーリーは成立しない。すべてがかみ合っているのだ。

それが「全体像」だ。原稿を何度も書き直して気づく人もいれば、全体像を理解して計画を練る人もいる。基本にあるのは構成の原則だ。構成は発見の旅のスタートラインだ。

いくら文体を磨いても、構成がなければラブレターや詩のようになってしまう。ハリウッドスターが映画化したがるようなアイデアや人物像も、構成のあるストーリーにしなければ映画は作れない。構成とストーリーの構造（コンセプト／人物／テーマを融合させてシーンを書くこと）がわかれば、文体はさほど心配しなくていい。すっきり機能的に書ければ充分だ。

ストーリーがすべてだ

編集者が求めるのは文体ではない。学生時代、文章がうまい人がクラスに何人かいただろう。流麗な文体は売りにはなるが、ストーリーと人物そっちのけでは形にならない。せいぜい授業でいい点数がつくぐらいだ。編集者やプロデューサーは構成がしっかりしたストーリーを求めている。

『全体像』を眺めて書こう」という声はめったに出ない。「ストーリーとは何か」を問うセミナーさえお目にかかったことがない。あまりにも初歩的だから主催者側は「みんな知っているだろう」と考える。受講者は誰も理解していない。僕は出版に至らない人々のコーチングを生業とするから、こう言える。みんなストーリー作りが把握できていないのだ。構成についての誤解や無知がある。

そうした人は「セックス描写を充実させる」というセミナーで学んだことを、構成せずに書こうとする。そこで戸惑い、セックス描写だけが濃い駄作ができあがる。

自動車を作ろうとしてブレーキの修理法だけを学ぶようなものだ。全体像を見ないで部分だけを見ている。

本をたくさん読んでも書けるわけではない。スポーツや音楽、飛行機操縦も、ただ見るだけでは身につかない。プロはいとも簡単にしているようだが、そうではない。

人の心を動かすストーリーを書くのも同じだ。

構成の要領を知る

スポーツ選手やミュージシャン、パイロットは徹底的に技術を学ぶ。理論や哲学、歴史を学び、物理や仕組みも学び、基礎を習得し、何人かは名人になる。

名人は一つの技だけに長けているのではない。すべてを統合し、円滑に、正確に実行する。

ストーリーの構成は学べるが、それをアートに変える方法は誰にも教えられない。まずは構成の基本を熟知することが先決だ。

デスクトップに例えると

僕のパソコンのモニターはよくフリーズする。真っ白になったかと思うと画面が歪んで復活する。これが日に三度は起きる。

「ディスプレイドライバー」の不具合らしいが、僕はよく知らない。面倒だから再起動で対処する。

インターネットで解決法を検索した。「ヘルプデスク」のページにはドライバーだのキャッシュだの、よくわからない言葉がたくさんだ。

やっぱり問題は解決できず、僕はまた再起動をしてごまかす。誰かにドライバー修理を頼まなきゃな、と思った瞬間、気がついた。故障しているのはモニターではなく、それを動かすソフトウェアの方だ。作家向きの言葉でいえば全体像。僕がマシンの基本的な構成を理解すれば、自分で何とかできるかもしれない。

書き手が直面する状況とはそういうものだ。パーツについての情報はたくさんあるから、その意味や関連性がわかったように錯覚する。全体像が見えていない。パーツのつなぎ方をよく知らない人が多いのだ。どんなパーツがあり、それらをどう生かすかも知られていない。

ストーリーの構成を知るべきだ。

『ダ・ヴィンチ・コード』を分解する

再び『ダ・ヴィンチ・コード』を例に構成を見ていこう。売れる小説の要点を説いていく。この小説はストーリーの構造がしっかりしており、転換点の位置も原則どおりだ。シーンや原書のハードカバー版でのページ番号も挙げる。『ダ・ヴィンチ・コード』がいかに構成に忠実に書かれているかがわかるだろう。

それは偶然の産物ではない。著者と編集者がストーリーの構造に対して鋭い感覚をもっているのだ。転換点の位置が厳密でなくても（小説の場合はある程度柔軟だ）全体として型に沿っている。

映画のシナリオは転換点の配置を細かく決めている。とても大事なことだが、小説の場合は刷り上がった本を見て位置のダメ出しをする人はいない。

これから述べる構成の話は厳しく感じられるだろう。だが、書き手に必要な指標だ。ストーリーが形になるにつれ、この型は魔法のようにうまくバランスをとってくれる。逆に、無視するとトラブルが起きる。ダン・ブラウンは構成の型に従い、巨額の印税を得た。参考にする価値はあるだろう。

構成の型を考案したのはダン・ブラウンでも僕でもない。映画のシナリオ構成術はシド・フィールドが第一人者だが、彼が作り出したものでもない。僕は映画の構成術が小説にも、回顧録や短編、ノンフィクションにも使えると思っている。構成の型を誰が発明したかは不明だが、現代の小説や映画で成功を収めた作品はみな、これに従っている。だから編集者やプロデューサーは構成を大事にするのだ。

「これが知りたかった」と喜ぶ人も「確かにそうだ」と納得する人もいるだろう。難しく感じる人も少なからずいそうだが、構成の原則に従えば出版の可能性は大幅にアップする。僕が保証する。

20 ストーリーの構成VSストーリーの構造

ストーリーの構成は、大きな構造の中にある。構成はいわば基盤だ。全体をしっかりした構造にするには、まず構成を固める。

構成を固めないと、クラゲに服を着せようと右往左往するようなことになる。積み上げた岩の表面にペンキを塗るのがいいか、きれいな壺に香りを封じ込めるのがいいか。僕が好きな例えは、「歯磨き粉をチューブに押し戻す」だ。

構成がなければストーリーにならない。ストーリーの構造も作れない。

構造を何かに例えると

建設に例えて説明しよう。「構成」は建物の基礎や桁、梁、設計図に当たる。建物を支えるものだ。骨組みだから、からっぽの倉庫みたいに殺風景。箱の形であればいい。

「構造」は建物の美しさだ。構成（structure）と建設（construction）にはラテン語の「structura（建てる）」が入っている。廊下や階段に装飾を施したり、壁や床にデザインを加えたりして美的要素を高めることを指す。周囲の庭園にも彩りをつけ、石像などを置くこともある。

建物はみな「構成」だが、雑誌の表紙になるような「構造」デザインのものは少ない。「構成」を「構造美」に高めた作品だけが出版社に採用される。

パーツを集めて構造美を作る技術はアートだ。その始まりは設計図。つまり「構成」から始まる。

ストーリーに構造美をもたらす技巧と技術

構成ではシーンをつなげて物語を作る。シーンをつなげたもので構造美を生むには魅力的な人物やテーマ、意図、斬新なコンセプトと、それにふさわしい文体が必要だ。

構成に才能は必要ない。知識を得て努力すればできる。

構造はアートだ。学べるが、才能も要る。その才能も研究を重ねて伸ばしていける。

天性の才能がなくても構造美のある作品を書くことは可能だ。「書くのにルールなんてない」という考えに縛られず、成功した著者たちの作品に学ぶことだ。

構造美があれば、他の作品と大きな差がつけられる。

それは本になる原稿と、ならない原稿とを分け隔てるものだ。

21 構成の全体像を理解しよう

新人もベテランも「何を、どういう順に書くべきか」で悩む。みな、その答えを探しながらストーリーを考える。

多くの人は「答えなどない」と言うが、間違いだ。

そう聞いて驚き、むっとする人もいる。ずっと前から答えはあるのだ。売れる作品を書く人たちだけが知っている。

その答えを実際に見ると誰もが大喜びする。他人の作品を読んで納得する。

ストーリー作りの技術はいくらでも細かくできる。

ストーリー作りは抽象的なもので、理論で語るのは無理だと思う人が多い。だが、プロットや人物は緻密な設計が可能だ。アウトラインを作るか否かは好みの問題だが、ストーリーを作る成分は変わらないし、それ自体に雲のような曖昧さは全くない。

それが構成やパラダイムだ。いかにも自由に書いているように見える超売れっ子も、深いところでその原則をつかんでいる。それを本人は意識していないから理論を語らないし、語れない。才能ではない。原則だ。学べば習得できる。

ストーリーにしっかりした構成があれば方法は何でもいいわけだ。すると、どうすれば効率的かが問題になってくる。構成ができない人は理解不足か拒否反応のせいだろう。

運命の分かれ道だ。

却下、落選する原稿は、物理を知らずに感覚だけで作った飛行機のようなものだ。読み手側が自然に要求する組み立てをしていない。

自己流の構成が売れるかどうかは疑問だ。特に映画のシナリオの買い手は業界の基準を重視する。構成を崩した実験的な作品は自分の勉強や趣味のために書けばいい。僕は現実的な話をしている。現実の世界では効力のある構成が何にも増して大切だ。

スタンダードと期待

作品をトータルで見た時の構造美を作るには、骨組みとなる構成が大事だ。この理屈を覚えておこう。ベルヌーイの定理が下地にあって飛行機が飛ばせるようなものだ。

完成した建物には設計図以上の価値がある。設計図は基礎工事のためのもの。基礎で強度を確保する。その上に装飾を施し、心や魂を映す空間に仕立て上げる。建築の構造美は機能性の上に成り立つ。ストーリーの場合は構成だ。

四部構成の基本形

構成の基本形は誤解されやすい。四部／四つのパート（映画のシナリオは三つの「幕」に分け、第二幕を前半と後半に分ける）は異なる理由で存在し、どんなシーンを入れるかも異なる。パートごとに文脈が変わるのだ。そのようにすることによって、「次に何を書くべきか」もわかる。

四つのパートの分け目には、それぞれ大きな転換点がある。ストーリーを躍動的にさせるために重要な役割を担う。どんなふうに転換点を設定するか、基準も述べていく。

四部構成は物語のロードマップだ。「話の流れが決まってしまう」と不愉快に思うなら、建築の例えを思い出そう。あらゆる芸術には構成や構図がある。世の中で成功を収めた小説やシナリオの構成はわかりやすい。構成がなければ作品は完成せず、誰の目にも触れることはない。

「ロードマップ」「設計図」と聞いた途端に「そんなものを使うと個性がなくなる」と怒る人もいる。面白いことに、無個性を表す「ジェネリック」という単語は「ジャンル」の派生語だ。推理小説や恋愛小説やスリラーは無個性だろうか。これらのジャンル小説は厳密な構成に従って書かれ、いつも書店の入口で平積みにされている。

四部構成は昔からずっとある

映画学校の学生は最初に「三幕構成」を学ぶ。映画は小説と無縁ではない。シナリオの原則を少し変えれば小説にも当てはまる。

映画も小説も、名作と呼ばれるものは構成がしっかりしている（前衛的なアート映画は別だ。作品独自の構成を立てる。ストーリーの構成とは異なるので注意してほしい）。

構成は飛行機にとっての翼。ベルヌーイの定理に基づき機能する。

ソフトウェアは数学に基づく。出産は生殖機能に基づく。生まれる子供は双子も含めてみな違う。

型にはめると無個性になるとは、僕は思わない。型は普遍的な法則のようなものだ。

「ジェネリック」は悪いものではない。人間はみなジェネリックだ。腕が二本、脚が二本と胴体、頭がある。それが人体の構成だ。それでも同じ人は二人といない。

その例えを聞いてもまだストーリーの構成がいやなら、どんな説明を聞いても変わらないだろう。世界にいる七十億人は同じ構成だが一人ひとりユニークだと聞けば「構成に従えばアートでなくなる」「他の作品とそっくりになる」という不安は消えるはずだ。

ゆっくり考えて、現実に気づいたら続きを読んでほしい。現実というのは印税だ。売れるストーリーが書きたいなら、構成を理解しなくてはならない。

ストーリーの四つのパート

ストーリーを「箱」だと想像してほしい。その中に文章やプロット、サブプロット、人物、テーマ、危機、見せ場などを入れて混ぜ合わせる。混ぜたものを文で書き、物語を作る。

それが一つの方法だ。

その過程で行き詰まり、箱をひっくり返したくなる時もある。

無計画に書くとそんな感じになる。自分が何を書いているかわからなくなるからだ。構成の完成形はただ一つ。出版社が欲しいのは完成形を得た作品だけだ。

箱の話に戻ろう。箱の中に、さらに四つの箱がある。区別するため1から4まで番号を振ろう。

これがシーンだと数が増えすぎる。今は四つだけを考えよう。

四つの箱にはそれぞれの目的があり、それに合うシーンが入る。

一つの箱にストーリー全体を押し込めはしない。四つの箱の中身を順に見ると物語がわかる。

箱1から開けてみよう。現時点で物語の意味はわからない。だが、箱1で主人公に共感すると、箱2の意味がよくわかる。

箱1の書き方は大事だ。箱2の命がかかっている。

箱2で見たものは箱3で新しい展開になる。緊迫感も上がる。主人公の態度や行動も変わっていく。

僕らはすっかり引き込まれ、主人公を全面的に応援したくなっている。

主人公は箱1〜箱4でいろいろな体験をし、行動が変化していく。それが「人物のアーク」と呼ばれるものだ（本書の第三章参照）。構成がわかればアークも理解しやすい。

各パートの文脈

箱1〜箱3で示したことは箱4で回収する。緊迫感や感情を箱4でまとめ、解決させる。箱1（パート1）の使命は設定で、箱4（パート4）の使命は解決、回収となる。

全体の流れはいいセックスに似ている。場の空気を感じて前戯をし、徐々に激しさを増して頂点へ。途中で何かが抜けると充実しない。一つの段階が次につながり、体験を盛り上げる。

それ以外の進め方では誰も満足しないだろう。

それぞれの箱には使命と文脈に合うシーンを入れる。

売れないストーリーによくあるミスは、箱2に合うものを箱3に入れたり、箱1にふさわしい行動が箱4に入っていたりすることだ。これではいくら文章やアイデアがよくても成功しない。

誰も教えてくれないが、却下や落選の理由はそこにある。

箱1〜箱4の中身をしっかり作ればスムーズにつながり、意味が通る。

それがストーリーの物理学。引力のようなものだ。

子供は成長して大人になる。思春期から青年期、中年期から老年期への変化がある。

年を重ねて得た糧は、若かった頃に得たものと異なるだろう。

同じ原理がストーリーでは「人物のアーク」で表れる。原理に合わない飛行機は墜ちる。原理に合わないものを箱に入れると全体が歪む。

四つの箱（四部構成）には本質的に求めるものがある。合わないものは受けつけない。読み手もそれを感じ取る。

それが四部構成のセオリーだ。

箱22
箱1　パート1――設定

最初の二十パーセントから二十五パーセント（箱1）の使命はただ一つ。「箱2～箱4のための設定」だ。

使命の中には多くの項目がある。例えば敵対者の紹介。箱1では伏線にし、見せるなら少しだけ見せる。また「フック（つかみ）」で読者の関心を引く。まだ大きな転機は起こさない。

例えば、箱1を開けると「尾行されている主人公。本人は気づいていない」。僕らは不安と緊張を感じ取る。これがフックだ。敵対者の伏線でもある。だが、主人公とどういう関係で、どんな危険が迫っているかはまだわからない。箱1で他の伏線や人物紹介を見終わると事情がわかる。そこがパート1「設定」の終わり。ここでプロットポイント1と呼ばれる転換点を置く。

箱1に情報を詰め込み過ぎると失敗する。

ここでは主に「主人公にとってかけがえのないもの」を読者に伝える。そうすればパート1の最後で転機が訪れた時に「大変だ、どうなるのだろう」と読者は思う。

「尾行されている主人公」の家族や財産、将来など大切なものに対する脅威がストーリー全体の骨になる。早めに読者に感じ取ってもらうほど効果的だ。

テンションが高まっても、ここではまだプロットは本格的に動かない。

パート1の使命

パート1ではバックストーリーを利用して人物への共感を促す。そして、この先の危機に対して伏線を張る。

主人公の紹介と舞台設定もパート1で済ませる。大きな転機で対立が起きてから「主人公は実はこうだった」と説明するのでは遅い。パート1では主な敵対者はまだ登場させないか、ちらりと姿を見せるだけにし、プロットポイント1で主人公と衝突させる。

プロットポイント1は大きな転機だ。その前に、人物紹介や状況説明をしっかりしておく。主人公にとって大切なもの、失うと困るものを読者に伝えよう。そうすればするほど、読者はその後の展開を気にかける。

読者が気にかけてくれるほど、ストーリーは効果的になる。

それがパート1の使命だ。いわばプロットの足場である。主人公がどんな人物かがわかれば、後で敵対者が出てきた時にも、読者は対立の「意味」を理解する。パート1での設定が不十分なら、いかに危機感のあるシーンを書いても読者は意味がつかめない。

パート１が終わると「プロットポイント１」で敵を出現させる。それと同時に、あるいは前に「インサイティング・インシデント」を作る。

映画『テルマ&ルイーズ』の例

リドリー・スコット監督の映画『テルマ&ルイーズ』（一九九一）で、酒場に寄ったテルマとルイーズは男に言い寄られる。二人は不安と怒りに駆られ、夜中の駐車場で男を撃ち殺してしまう。正当防衛に近いが、これを境に陽気な夜は一転する。これがインサイティング・インシデント（大きな変化を誘発する出来事）だ。

映画の尺は二時間強だから、パート１の終わり（プロットポイント１）は開始から三十分目あたりだ。男を撃ち殺す場面は十九分三十秒目で起きるから、プロットポイント１としては早すぎる。「インサイティング」とは「引き起こす」という意味だ。テルマとルイーズに引き起こされたことは何だろう。動転した二人は酒場に戻るが、取り乱してしゃべるだけである。

男を殺してしまったことは、以後の流れを作ったきっかけだ。ただし、二人がどんな冒険に出るかはまだわからない。酒場を出て警察に出頭するか、どうするか。二人は三十一分目で「逃げましょう」と決断する。プロットポイント１にふさわしい位置だ。以後、テルマとルイーズは逃亡者となり、次々と犯罪行為を重ねていく。プロットポイント１で二人の目標が決まると、その先の危険や危機も示唆される。

『テルマ&ルイーズ』はパート１の中にインサイティング・インシデントを設けるオーソドックスな

作り方をしている。マイケル・マン監督の映画『コラテラル』（二〇〇四）で「死体がタクシーの上に落ちてくる」場面も同様だ。以後の流れを引き起こすが、それが主人公に対してどんな意味をもつかはプロットポイント1までわからない。

どちらの映画もプロットポイント1は会話で示される。転機とは長いシーンや派手な光景ではなく、ある瞬間を意味する。流れを変えて人物の旅を決める瞬間がプロットポイント1だ。

パート1は使命が大事

主人公が人生の転機に気づくところでパート1は終わる。不安や恐怖を感じ、敵や障害も現れる。主人公は何かをしなくてはならない。

主人公がすでにそのような冒険を始めていれば、プロットポイント1で大きく転換させるか、障害や危機、冒険の性質をはっきり示す。あるいは予想外の事態を起こして流れをひっくり返す。四つのパート全体を見ながら展開を考えてほしい。

パート1の最後（プロットポイント1）で主要な敵対勢力（ひらたく言えば「悪者」だ）の全貌を見せる。「全貌」と言っても敵の本質を露わにするのではない。主人公（と読者）がその存在を認識し、対面するという意味だ。

ここで敵の要求を明らかにし、主人公の望みとどう矛盾するかを示す。

それがフィクションに欠かせない「コンフリクト（葛藤、対立）」だ。プロットポイント1でコンフリクトを設定する。
パート2〜4で主人公は挑戦する。困難な状況に遭遇し、気づきや成長を体験する。
プロットポイント1は新たな旅の始まりだ。ここから物語が本格的にスタートする。

人生の例えを思い出そう

パート1での主人公は確かな未来が思い描けず、まるで孤児のようだ。だから読者は気にかける。書き手が与える冒険は孤児に生きる意味と目的をもたらす。だが、この先何が起きるかはまだわからない。

小説が全部で三百〜四百ページならパート1の「設定」は五十〜百ページ分だ。長編映画のシナリオなら最初の二十五〜三十ページになる。それより増える場合は伏線も増やし、ドラマ的なテンションを交えて緩急をつける。

『ダ・ヴィンチ・コード』ではパート1の大部分がルーヴル美術館でのチェイスシーンになっている。主人公ラングドンは誰に、なぜ追われるのか全くわかっていない。そんなシーンが百ページほど続くのだ。テンションだけを感じる。意味はプロットポイント1までわからない。

パート1の「設定」モードはそうあるべきだ。緊迫感はあるが、どんな敵に対してどんな戦いをするのかはまだわからない。

箱23
パート2——反応

プロットポイント1（三十節で詳しく述べる）でストーリーが見えてきた。主人公と敵対者の意図も見えた。ここから主人公は新たなゴールに向かう。

ゴールの例を挙げよう。生き残る／愛を見出す／だめな恋愛関係から抜け出す／富を得る／正義を貫く／悪者を阻止したり捕まえたりする／災害を食い止める／避難する／誰かを助ける／世界を救う。人間の体験や理想を表すものなら何でもいい。

パート1では、このゴールを目指す旅は存在していなかった。主人公は違う未来をなんとなく思い描いていたはずだ。だが、プロットポイント1で転機を迎え、新たな望みや必要性が生まれた。

デニス・ルヘインの小説『シャッター・アイランド』では主人公の回想の中で転機が起きる。妻の幽霊が「レディスはここにいるわ」と彼に告げるのだ。この場面は原書のペーパーバック版では全三百六十九ページ中八十八ページ目に出てくる。プロットポイント1としてぴったりの位置にあるが、さりげないので見過ごしそうになる。この場面よりも前の部分はすべて、ストーリー全体の設定だ。

伏線が複雑に張り巡らされ、エンディングへの足場となっている。

ストーリーにはコンフリクト（葛藤、対立）が必要だ。人物像はコンフリクトを通して表現される。主人公の求めに反し、妨害するものがコンフリクトである。

『シャッター・アイランド』では主人公自身の狂気がそれに当たる。だから彼は現実が受け入れられずに苦悩する。そんな主人公の姿に読者は感情移入する。

パート2：プロットポイント1の後

パート2で主人公は新しい状況に反応する。まだ積極的には行動しない。優柔不断でもあるだろう。

プロットポイント1に対するリアクションがパート2のすべてだ。主人公は新しい展開やゴール、危機、困難に対してどうするか。パート1でしっかり人物紹介や状況説明ができていれば、読者は感情移入できているはずだ。主人公の反応に興味をもち続けてくれる。

パート2で主人公は走り、隠れ、分析し、観察し、見直し、計画し、人材を探す。必要なことは何でもする。だが、敵を打ちのめすのはまだ早い。

『ダ・ヴィンチ・コード』のラングドンは警察から逃げ続ける。パート2では手も足も出ない状態だ。

パート2の終わりで主人公は何かに気づき、計画を練る。流れが大きく変わる。それが「ミッドポイント」だ（詳細は三十四節）。

パート2で主人公は危機の中で選択肢を求めてさまよう。だが、彼はもう孤児ではない。冒険を始めたばかりだ。

長編ならばパート２も百ページほど。かなりの分量になる。映画のシナリオなら二十七ページ目以降六十ページ目までが目安だ。

箱24 パート3——攻撃

パート2は「反応」モードで主人公が迷い、ためらい、考える姿を描いた。およそヒーローらしくない姿かもしれない。

パート3で主人公は体勢を立て直し、積極的になる。徐々に強くなっていく。

主人公は目の前にある障害と戦う。内面の悪魔とも向き合い、行動を変え始める。あるいは自分の心の弱さを認め、危機感を覚える。パート3で主人公は工夫をし、自主性も発揮する。

もちろん、唐突にそうさせるわけにはいかない。新たな情報や気づきが必要だ。

そこで設けるのが「ミッドポイント」だ。パート2と3の境に配置する。これを契機に流れが前進し、方向転換もする（後に詳しく述べる）。これがないとストーリーは平坦になり、サプライズも出せない。ミッドポイントでプロットは勢いと厚みを得る。敵も勢いを強める。主人公はさらに強く、賢く行動せねばならない。

パート3の分量も約百ページ（映画のシナリオでは三十ページ）だ。

放浪者はパート3で戦士になる

『ダ・ヴィンチ・コード』ではラングドンが謎を解く鍵をもつ専門家の存在に気づく。それがミッドポイントだ。以後、ラングドンは逃げるだけの「反応」モードから脱出し、積極的に動き始める。同時にサブプロットもシフトする。ラングドンが探す専門家は色素欠乏症の暗殺者にさらわれるのだ。当然ラングドンはそれを知らない。読者だけが知っている。巧みな視点選びだ。

パート3の終わりでパズルの最後のピースを提示する。それが「プロットポイント2（三十七節）」だ。ここでまた流れが変わり、パート4へなだれ込む。

箱25 4 パート4――解決

パート４で新しい情報はもう出ない。主人公は必要な知識を得ているし、課題やゴール、関連人物もすでに出揃っている。

パート４では主人公がいかにゴールを達成するかを描く。ゴールとはたいてい、敵対勢力に勝つことだ。富や名声を求める場合もあるだろう。

ここで主人公は自力で戦い、ヒーローになる。傍観者にしてはならない。この大原則に外れる作品もあるが、大作家にならない限り避けてほしい。

「パート４で主人公が活躍しない」のは出版社に却下される原稿に非常に多い。

ヒーローが負け、死ぬ終わり方もある。いずれにしても問題は大きく解決させておくべきだ。崇高な目的のために命を捧げ、物語を解決に向かわせる時、ヒーローの死は感動的になる。

主人公が孤児→放浪者→戦士に成長し、最後に殉教者と呼ばれるのはそのためだ。

殉教者の本質は死ではなく、命をかける真剣さにある。

『ダ・ヴィンチ・コード』のラングドンは明晰な頭脳ですべての謎を解く。それが彼のヒロイズムだ。彼は圧力を受けながらも真実を訴える。

四つのパートの全体像

四部構成ではストーリー全体を四等分するが、パート1と4とを数ページ短くし、その分をパート2と3に足してもいい。映画の三幕構成ではパート2と3とをつなげて第二幕と呼ぶ。中に描く文脈も四部構成と変わらないが、ハリウッドでは第二幕を「対決（コンフロンテーション）」と呼ぶ。対決と呼ぶのがぴったりだ。パート2（「対決」の前半）で主人公は避難しながら問題と対決し、パート3（「対決」の後半）で策を練って直接対決しようとする。

既存の映画や小説の構成を見てみよう。かすかであっても文脈や転換点があることに気づくはずだ。四つのパートに四つの文脈。各パートで描くシーンにはそれぞれ異なる使命がある。

パート1	パート2	パート3	パート4
設定／孤児	**反応／放浪者**	**攻撃／戦士**	**解決／殉教者**

ストーリーの転換点とミッドポイントがわかると四部構成がさらに明確になる。では見ていこう。

26 転換点の役割を知ろう

僕は構成を外科手術に例えている。四つのパートは麻酔／メス／カテーテル／心臓モニターだ。表面を切開して中に触れ、マシンが反応するところを探す。

構成の中に大事なものがあるからだ。

四つのパートの間には「プロットポイント１」「ミッドポイント」「プロットポイント２」と呼ばれる転換点があり、その後の流れを決める。

他にも転換点は五つある。合計八個だ。後で詳しく述べていこう。

転換点にも、しっかり守ってほしい使命と機能がある。

転換点はアメフトの試合で時間の区切りに鳴るホイッスルみたいなものだ。選手は動きを止め、両チームがサイド交代して試合再開する。

転換点では新しい情報が出て、ストーリーの流れやテンション、危機感が変わる。四つのパートの区切りになり、プロットも変わり目を迎える（例外が二つあるが割愛）。プロットの変わり目すべてを転換点と呼ぶわけではない。人生の大きな節目の誕生日（成人するなど）に当たるものが「ストーリーの転換点」だ。

プロットのひねりはストーリーを活気づけるから、いつ加えてもいい。一方、主要な転換点は意識して大切にしよう。そこで起きる転機が非常にかすかなレベルであってもだ。

プロットのひねり方を知る人は多いが、いつ、なぜひねるかを構造的に理解している人はほとんどいない。

転換点のシーンの目的

読者は転換点に気づかないことが多い。「船が氷山に衝突」といった場面ならわかりやすいが、静かな会話やちらりと見える影や武器、こっそりのぞく視線など、かすかなものも多い。

転換点のシーンは物語の重みを支える支柱だ。これがなければプロットは成り立たない。

転換点はストーリーになくてはならないものなのだ。

「どこに何を書けばいいか」という問いの答えは転換点が教えてくれる。転換点を柱とし、その前と後ろにシーンが連続していることを考えるといい。

作品の長さにもよるが、全部で六十シーン程度を目安と考えてみよう。そのうちのいくつかはひとまとまりのシークエンスとして連続するはずだ。五つの転換点（プロットポイント1／ピンチポイント1／ミッドポイント／ピンチポイント2／プロットポイント2）を全体の間に立てていくと、柱の両脇はストーリーの半分以上と接触しているのがわかる。

転換点で起きることを決めれば全体の基本構成が決まったも同然だ。パート1の設定とパート4の解決の内容を決めればストーリーの八十パーセント以上が連なって見えてくる。

転換点がストーリーを語るのだ。

転換点の定義

転換点を含めた構成は次のようになる。

◆ストーリーの「オープニング」のシーン、あるいはシークエンス
◆最初の二十ページ（映画シナリオなら十ページ）以内で関心をつかむ「フック」
◆「インサイティング・インシデント」（これをプロットポイント1としてもよい）
◆「プロットポイント1」＝全体の二十〜二十五パーセント程度進んだところ
◆「ピンチポイント1（三十六節）」＝全体の八分の三経過地点かパート2のど真ん中
◆流れが変わる「ミッドポイント」＝全体のちょうど半分の地点
◆「ピンチポイント2」＝全体の八分の五経過地点かパート3のど真ん中
◆「プロットポイント2」＝全体の七十五パーセント程度進んだところ
◆最終の解決シーンまたはシークエンス

以上がストーリーで重要な地点やシーンだ。

転換点に向けて、また転換点の続きとして、前後に三シーンほど足すと合計三十～四十シーンができる。ストーリー全体の三分の二ほどになるだろう。

そう、この方法で、なんと三分の二も計画できてしまうのだ。転換点での出来事や情報を決め、ストーリーの流れを工夫する。設定と回収、つなぎ方が思い浮かべば作品の半分以上は決まったも同然だ。

それが構成の威力だ。これは大きい。

シーンを書くには前後の流れが必要だ

転換点を柱として立て、それに向かって設定シーンを作る。その後、回収シーンを作る。

他の部分は「つなぎ」だ。人物がしゃべり、選択肢を考え、反応や計画、休憩をする。愛し合い、分析し、傷を舐め、地図を調べ、助けを呼び、哲学的な内省をし、答えを求める。

転換点が決まれば「つなぎ」のシーンは自動的に書ける。転換点に目的や使命があるからだ。柱がはっきりしていれば、どこにどんなシーンが必要かが自然にわかる。それらをうまくストーリーの流れに溶け込ませればいい。

そうすると初稿ができる。本当だ。推敲すれば外に出せるほど完成度が高い。

初稿で成功する手段はこれしかない。

構成嫌いで「転換点がどうした」と思う人は、この本を壁に叩きつけたくなっただろう。だが、いずれ転換点を考えざるを得ない。

転換点がなければストーリーは成り立たない。

無計画に書く危険はそこにある。支柱も立てずに全体をまとめようとするのは無理だが、それに気づけない。

原則を知れば、構成は自由な発想を損なわないことがわかるはずだ。むしろ自由度が増す。

転換点でストーリーを作る

すべての転換点を揃えるまでは、まだ計画の段階だ。

決めずに原稿を書き始めたら、途中で一から書き直しだ。転換点に来る前の部分で設定や伏線を書かねばならない。転換点を書く前に決めておかねば書けない。

それがミッドポイントなら、ミッドポイントまで書き進んでから前半を書き直すはめになる。やはり、あらかじめ計画しておく方がいい。

アウトラインを書くかどうかに関わらず、転換点作りは物語創作で最も大事なプロセスだ。実際に書く文章以上に大事だ。

僕は執筆前にアウトラインを書くことを勧めているが、それを受けつけない人がいることも知っている。方法は何でもいいが、転換点はストーリー構成の要だ。転換点のつなぎ方を知れば知るほど原稿の完成度も上がる。

最低限、五つの転換点を決めてから原稿を書こう。それらが決まるまでは、どんな形で進めようと準備段階に過ぎない。

転換点をどう見つけてつなぐかは自由だ。

『ダ・ヴィンチ・コード』の転換点はどうなっているだろう。以下の節で詳しく見ていこう。

27 出版できる原稿を書くために：ストーリーで最も大切な側面

「小説を書くのに最も大切なこと」と言うと必ず論争になる。僕のブログもそうだ。記事をアップした途端に反論のコメントが押し寄せた。

多くのものが総合して名作を作るのは確かだ。しかし、食べ物と一緒で、最初のひと口がまずいと食欲が失せる。

出だしがうまくない本は書店に並ばない。映画化もされない。だから最初が肝心だ。誰だって読み始めてすぐやめた小説があるはずだから、同意してもらえるはずだ。

出だしの部分は「オープニング・アクト」とか「パート１」と呼ばれる。あるいは第一幕、セットアップ（設定）、フック（つかみ。構成上、厳密に言えばオープニングとは異なる。フックとは一つのシーンかシークエンスを指す）、あるいは「全体の最初の四分の一」などと呼ぶ。物語はプロットポイント１から本格的に進み出す。

しっかり覚えてもらうために、また例え話をしよう。

最初の五十〜百ページ（長編映画のシナリオなら最初の三十分尺）の「設定」部分は風船のようなものだ。風船の中に入れる空気は物語のテンションに当たる。空気を入れるほどテンションは上がり、いずれパーンと破裂する。

中の空気は熱いほどいい。

だが、ふくらませるのが早過ぎて、すぐ破裂するとがっかりだ。

プロットポイント1でストーリーの主要なテンション（敵対勢力）が初めて全貌を現す。それまでは伏線や部分的なシルエット。それが五十〜百ページ目のどこかで姿を現し、風船を破裂させる。ストーリーの流れが変化する（ささやかな出来事の場合もすべてが変わる）。

熱い空気（人物／テーマ／危機／バックストーリー／時間の制限など）を風船に入れるほど、破裂の威力は大きくなる。

プロットポイント1で主人公は危険だらけの道へと進み出す。パート1で風船を上手にふくらませていれば、読者は物語に引き込まれる。

読者は「フック」に釣られるのだ。

パート1での「設定」は続きの部分のためにある。風船は破裂させるためにふくらませる。しっかり空気を入れるべきだ。

結末も大事だが、オープニングはもっと大事だ。熱い空気を吹き込み、よいタイミングで破裂させよう。

28 パート1「設定」の五つのミッション

馬が荷車を引くように、パート1はパート2に向かって進む。パート1が荷物でプロットポイント1が馬だ。

単体では説明しにくいから、まとめて話そう。

パート1とプロットポイント1は両方揃ってうまくいく。

パート1には五つのミッションがある。そのすべてを完遂してからプロットポイント1と連結させる。「すべてを完遂」が重要だ。取りこぼしたものを後で付け足すとストーリーはだめになる。

第一のミッション：強力なフックを仕掛ける

映画業界では「最初の十ページまでで読み手を釣れ」と言う。読み手とはエージェントやプロデューサー。多忙な中で多くの候補作を読まねばならない人たちだ。

小説なら「最初の二十〜五十ページまでで読み手を釣れ」となるだろう。読む側は「いつ面白くなるんだろう」と思いながら読んでいる。

「これは面白くなってきた」と感じさせるものが「フック」だ。

フックは読者の心をつかみ、読みたい気持ちにさせるもの。プロットポイント1とは別物だ。フックの位置は早い方がいいだろう。

感情を揺さぶるものや官能的なもの、「これは読み応えがありそうだ」と確信させるものなら何でもいい。何かの風景を想起させるものでもいい。読者が「えっ、何だろう？」と好奇心を抱き、知りたくなるようなものを出す。

『ダ・ヴィンチ・コード』のフックはルーヴル美術館で男の遺体が発見されること。血で書かれた暗号メッセージもある異様な光景だ。この描写は最初の数ページ目に出てくる。「フック」の好例だ（主人公の目的や危機の設定はまだだからプロットポイントではない）。

フックは最初の三、四シーンまでの間に入れよう。読者を「読みたい気持ち」にさせることが目的だ。

――第二のミッション：主人公の紹介

主人公を早めに登場させる。プロットポイント1よりずっと前がいい。遅くとも三番目のシーンまでに。

読者は主人公と出会い、親しむ必要がある。何をしていて、何を求め、どんな夢があるか。プロットポイント1で転機が来る前に、主人公が大切にしているもの、失いたくないものも描いておく。

『シャッター・アイランド』の主人公、連邦保安官テディは患者の失踪事件捜査のために孤島の精神病院にやってくる。三百ページもの間、謎めいたバックストーリーや伏線が披露されるが、状況が非常によくつかめるように書かれている。行方不明の患者がいることと、政府の陰謀を感じさせることが危機感を煽っている。

『ダ・ヴィンチ・コード』はプロローグで「フック」をかけ、第一章でラングドンが殺人事件捜査の協力依頼を受ける。だが、突然ラングドンは容疑をかけられ、逃走を余儀なくされる。事件に隠された真相や警察の腐敗、キリスト教を揺るがす大騒動の可能性。

これらすべてが最初の四分の一で提示されている。

読者を登場人物の世界に誘おう。特に主人公の世界は大切だ。仕事や家庭での生活、健康状態、夢や失望、再出発を心に描く姿など。

主人公が幸せいっぱいなら、その姿を描く。その姿はプロットポイント1で変わるのだ。幸せな夢は突然、白紙の状態と化す。

その時、読者は自分自身の何かに気づこうとする。共感しようとする。主人公が好みでなくても、後で主人公が真の姿を見せる頃には印象が変わるかもしれない。

主人公の内面の悪魔を示唆する描写も大切だ。どんな過去や世界観、思い込みにブロックされているか。どんな能力や秘密が隠れているか。後に主人公はドラマを通してこれらに気づき、苦悩しながら乗り越えようとする。

その変化は「人物のアーク」（十四節）と呼ばれる。それはストーリーのパート1から始まるのだ。

第三のミッション：危機感を設定する

主人公の何が危ういかを提示する。読者はまだ理解できないかもしれないが、プロットが進むにつれて意味がわかってくる。

書き手自身が理解していないと、ストーリーが危うくなる。

プロットポイント1の後の主人公は新たな目標や必要性を追い求めるようになる（生存、救助、正義、富など）。敵に遭遇し、新たな戦いも始まる。

プロットポイント1を成功させるには主人公にとって「何が死活問題か」をはっきりさせることだ。『ダ・ヴィンチ・コード』ではラングドンの命と生活そのものが危なくなる。それと同時に、もっと巨大なものも危機に晒される。一方、マーク・ウェブ監督の映画『(500)日のサマー』の「死活問題」はとてもささやかだ。この恋愛映画は構成の勉強に最適だ。主人公の青年はある女性を好きになる。ある日、彼女は「将来なんてわからない」といった曖昧な言葉をつぶやくのだった。

そのつぶやきが主人公のすべてを変える。彼の願望も将来の夢も変わる。彼の内面の悪魔も揺さぶられる。彼女と別れるかどうかが彼にとっての「死活問題」だ。

死活問題、危機感（英語ではstake）の価値は見過ごせない。人物がそれを強く意識すればするほどストーリーのテンションも高くなる。

第四のミッション：伏線を張る

プロットポイント1で起きる変化に向けて伏線を張る。不穏な気配の事柄が多いだろうが、明るくストーリーを始める場合も同様だ。

中盤以降の出来事を暗示してもかまわない。伏線とバレないようにするのがベストだ。『(500)日のサマー』の主人公は彼女に首ったけだが、彼女はどこか冷めている。その理由は後で明かされる。ロネ・シェルフィグ監督の映画『17歳の肖像』（二〇〇九）では脇役の言動がヒロインの未来の伏線になっている。作る側の目線で見ないと気づかないだろうが、後で振り返るとほろ苦く心に響く。『ダ・ヴィンチ・コード』のパート1では小説／映画ともに色素欠乏症の暗殺者がある品を探すシーンがいくつかある。美術館での殺人事件に関するもので、最後にマクガフィンとわかるピラミッド構造だ。

伏線については次の節で詳しく述べる。

第五のミッション：始動の準備

最後のミッションはプロットポイント１への流れを作ることだ。風向きを変えながら加速させる。プロットポイント１が突然の事件やかすかな変化であっても、その前の流れに気を配る。実際に、突発的な事件の前に前触れのような出来事が重なることもある。

五つのミッションを完遂したらストーリーの結末も視野に入れ、プロットポイント１へと進んで行ける。

29 伏線を掘り下げよう

伏線は厄介だが、僕はチャンスと捉えたい。思うより簡単だが実行は難しい。「どっちだよ」と突っ込みたくなるが、フィクションの創作とはそういうものだ。伏線の技術をマスターして作品のレベルアップを目指してほしい。

伏線をそれとわかる形で書くのは簡単だ。微妙なタッチで書くのが難しい。へたをすると誰にも気づいてもらえない可能性もある。

伏線とは「後で起きる出来事や人物に関する事柄を示す記述やほのめかしで、はっきりとしたストーリーポイントとして読者にまだ認識されないもの」だ。

隣の部屋から漂う料理の香りのようなものだ。何の料理かわかる時もあれば、ただおいしそうに感じるだけの時もある。

伏線をはっきり伝えたい時は感情表現を加えよう。「おいしそう」「臭くていやだ」というように。

「後に登場して主人公を誘惑する女」の伏線として、女が部屋に入って来る場面を書くなら、セクシーな描写をして主人公に注目させ、主人公の反応を書き加える。伏線を抑えたトーンにするなら、目立たないように書き流す。

「後で主人公を誘惑する女」の伏線も、セクシーな描写を抑えれば目立たない。女は主人公の友人としゃべるが、主人公は女を一瞬見るだけにする。主人公にとっては知らない人でしかない。主人公が深く考えなければ読者も考えない。だが、後でこの女が再び登場すると読者も主人公も思い出す。

あらゆるものに伏線が張れる

今度は別のストーリーにしよう。主人公は出勤前に妻と口論し、買い物のメモを持って出るのを忘れた。テーブルの上にはメモが残されている。メモや口論の描写は伏線だ。

妻は体調不良を口実に仕事を休み、家でジャックダニエルを五杯も飲む——これも伏線だ。置き去りにされた買い物メモの上に酒のボトルを置くと、彼女は昨日もらった花束をせつなく眺め、唇を指でなぞる——これも伏線だ。

場面は午後に切り替わる。酔った妻が情事を終えてホテルから出てくる。手にあの花束の中の一輪を持っている。彼女は帰り道に買い物をする。夫が忘れていったメモは彼女のクルマの助手席にある。店の駐車場からクルマを出した時、通りで人をはねて死なせてしまう（プロットポイント1）。主人公の人生は突然変わる。そこに至るまでのすべてが伏線だ。

伏線の役割

置き去りのメモ、花、唇、ボトルは後で起きる事故や悲劇自体を示すのではない。プロットポイントへ向かう流れを作っている。

伏線とはヒントを与えることであり、あてにならない約束のようなものだ。テンションや結果を示唆するが実体はない。ディテールの描写、意味のない会話やアクションのように見える。

映画や小説で「なぜここで細かい描写があるのか」と思ったら、それはたいてい、伏線だ。

では、伏線とはヒントを出すことなのか

そうでもあるが、そうでなくてもいい。明らかにパズルのピースとわかるなら、それは伏線とは呼べないかもしれない。

殺人現場に残されたサイズ7の赤いハイヒールなどがそうだ。

「ほら、これがヒントだよ」と露骨にわかる。

『ダ・ヴィンチ・コード』の第一幕（パート1）はヒントでいっぱいだ。伏線とわかるものも、単なるヒント（血で書かれた暗号メッセージ）もある。警察官の不可解な行動、死体とダ・ヴィンチの絵画との関係は伏線だ。回収はずっと先だが、明らかに読者の関心を引く。

ストーリーと強い関係はないが、後で「あ、そういう意味だったのか。気づくべきだった」と思うものは伏線だ。「サイズ7の赤いハイヒールを買った男が後に死体で発見される。靴の一足は少し離れたところに、もう一足は男の眉間に突き刺されている」となるとヒントではなく伏線である。

伏線とは何かがわかれば、文章を読んで見抜けるようになるだろう。

伏線にもふさわしい場所がある

ストーリーの最初の二十五パーセントはすべて伏線だと言っていい。パート1（映画脚本では第一幕）はすべてが「設定」なのだから、書くものは全部伏線だ。

パート2以降でも伏線は張れるが、プロットポイント2（七十五パーセント地点）までに済ませよう。その後はパート4（映画脚本では第三幕）で回収、解決に向かわせる。

伏線をどこまではっきり書くかは自由だ。他の小説や映画で研究するのが一番だ。いくつ伏線に気づき、どう回収されるか見てみよう。プロットの伏線と人物描写の違いも見分けてほしい。どちらもストーリーに役立つ。

経験を積めば自信がつき、伏線が自在に操れるようになるだろう。

30 ストーリーで最も重要な瞬間：プロットポイント1

何が最も重要かは諸説ある。どの意見も正しいし、表現は自由だ。だが、僕は「プロットポイント1」が最も重要な瞬間だと考える。

これまでにも説明してきたが、確認のために例を挙げて見ていこう。

映画『コラテラル』では主人公のタクシー運転手が客を拾う。映画開始から全体の十五パーセント経過後だ。パート1の要素はすべて説明済みである（主人公の望みや不安がよくわかり、僕らはすでに彼の味方になっている）。客は主人公を車内で待たせ、誰かを殺して戻ってくる。なんと死体がタクシーの屋根に落ちてくる。

びっくりするが、ここはまだプロットポイント1ではない。

構成の位置として早過ぎる。プロットポイント1につながる「設定」の一部だ。ここでの描写があるからプロットポイント1での出来事の意味が理解できる。

プロットポイント1は主人公に新たなニーズや冒険をもたらす。死体落下の時点では、まだそれがない。

その後、主人公は客の殺し屋をタクシーに乗せて走る。主人公は不安そうな表情だ。彼は客と言葉を交わす。その会話の内容が重要だ。殺し屋は拳銃をちらつかせ、ターゲットを殺して回るのに運転手として主人公を「雇う」と言うのである。言うことを聞けば主人公の命は助かり、運賃として六百ドル支払われる。

この会話は死体落下よりはるかに多くを語る。

プロットポイント1はパート1と2の架け橋だ。橋の前までは「設定」で、橋を渡ってからは橋で起きたことへの「反応」だ。プロットポイントに似た瞬間は他にもあってまぎらわしいが、位置が重要だ。プロットポイント1の使命はストーリーを「設定」から「反応」モードにシフトさせることにある。

『コラテラル』では殺人発生の十五パーセント地点以降も設定モードの描写が続く。まだ警官は登場しないが、後に重要な役どころとなっていく。パート1からパート2へのシフトはタクシー内での会話まで起きない。

プロットポイントで見るべき点は二つある。「ストーリー内での位置」と「ストーリーの流れのシフト」だ。『コラテラル』や他の映画を観ればプロットポイント（特に1）の効果がよくわかる。小説にも応用しよう。映画に比べて見えにくいかもしれないが、確かなシフトを感じるはずだ。

プロットポイント1の力

ストーリーにはコンフリクト（葛藤、対立）が不可欠だが、本腰を入れるのはプロットポイント1以後だ。主人公の目線で見ても、プロットポイント1から物語が始まる。

プロットポイント1とは「主人公の現状や思惑を変える出来事が起きる箇所」。危機や逆境に見舞われた主人公は行動を余儀なくされる。

つまり、主人公は以前にしていなかった何かをしなくてはならない。反応、攻撃、解決、救済、発言、介入、変更、反抗、成長、赦し、愛、信用、信頼、あるいはただ必死で逃げること。こうしたアクションがプロットポイント1を契機に始まる。主人公の旅と行き先が決まり（と、僕は何度も述べるので慣れてほしい）、以後、主人公はアクションを続けていく。

プロットポイント1でコンフリクトが紹介される

主人公の新たな旅には、それに対抗する勢力が必要だ。それがストーリーで描くコンフリクト、葛藤になる。

プロットポイント1が起こす変化は大きい。意味が生まれたからだ。意味があるから人は動く。命をかけたり人を殺したり、子供のように泣き叫んだりするのも、その人にとって意味があるからだ。

読者はパート1で主人公と出会い、心の葛藤や悩み、夢、世界観を知り、大事にしているものを知る。そのすべてがプロットポイント1で変化の局面に晒される。

パート1でちらりと見えた敵はプロットポイント1で存在感を増し、圧力や恐怖をもたらす。主人公は大事なものを脅かされ、行動に迫られる。

ポジティブな物語ではプロットポイント1で物事の意味が深まり、主人公が追求を始める、と言ってもいいだろう。

主人公を外部から妨害するものと共に、主人公の内面の問題も設定しよう。

プロットポイント1の本質

「船が氷山に衝突」「隕石が地球に落下」「殺人」といった事件はプロットポイント1にできる。「主人公が解雇される」「妻の浮気を目撃する」「子供の麻薬使用に気づく」など私的なことでもいい。「不治の病の宣告」「突然誘拐される」といった衝撃的なこと、「ルーレットで全額を赤に賭けたら球が黒に入った」でもいい。すべてが大きく変わればいい。

「好きな人にキスされてゾクっとする」といったかすかなことでもいい。「職場にライバルが入社する」でも「結婚式の前日に誘惑される」でも、それで主人公の行動が変わるのであればいい。

変化はダークなものとは限らない。「宝くじに当たる」「別れた恋人が戻ってくる」「昇進する」「二度目のチャンスが与えられる」といった出来事もプロットポイント1になる。こうしたハッピーな出来事でも条件は同じだ。主人公に新たな目標と旅が与えられること、読者が共感できるようにすること、具体的な障害物（と敵対勢力）が現れることが必要だ。

パート1の初めからテンションや危機を見せてもいい（例：映画『コラテラル』）。そうした例はスリラーものに多い。その場合もプロットポイント1の基準は同じで、冒頭から二十五パーセントほど進んだところですべてを新たな展開に向かわせる。

『コラテラル』では殺し屋が主人公に要求を伝えるまで物語は大きく展開しない。命が惜しければ、主人公は殺される予定の人々のところへタクシーを走らさねばならない。殺し屋の意図がわかると主人公の要求も変わり、危機感が跳ね上がる。

プロットポイント1が意味すること

プロットポイント1が伝えるのは「主人公が真実だと思っていたことは、実は真実ではなかったかもしれない」だ。現状が揺らぎ、すべてが止まる。問題が解決するまで夢は中断、あるいは新たな夢が突然視野に入ってくる。

生きるか死ぬか。幸福か不幸か。正義か不正か。重要な問題が提示される。

そこで主人公は反応し始める。安全を確保しようとし、状況を理解しようとし、新たな展開になんとかついていこうとする。

プロットポイント1の意味がわかれば読書や映画鑑賞の体験は後戻りできないほど変わる。プロットポイント1が来ると「あ、ここだ！」とはっきり見えるようになる。ストーリー構成のすごさに感心するだろう。

気づくというより「感じる」ようになる。プロットポイント1より前はすべてセットアップで、その後は反応で、と、ようやくわかるようになる。

『ダ・ヴィンチ・コード』はパート1から危機感にあふれているが、プロットポイント1でラングドンが何者かに命を狙われているとわかるとすべてが変わる。ストーリーはそこから本格的に始まる。ラングドンの要求や目的が変わり、すべてが高いギアにシフトする。

『ダ・ヴィンチ・コード』は全部で百五章ある。計算するとプロットポイント1は二十六章あたりのはずで、実際、ぴったりそこで起きている。ラングドンとソフィーが〈モナ・リザ〉の防護ガラスに血で残されたメッセージを発見する。それを遺したのはソフィーの祖父だった。以後、これまでの出来事の意味がわかり始める。

プロットポイントは複数のシーンにしてもいい。『ダ・ヴィンチ・コード』ではそのようになっている。シーン24から26にかけて物語の意味がわかり始め、ストーリーの流れが大きく変わる。真相を暴くため、ラングドンの命がけの冒険が始まるのだ。

第二十四章で色素欠乏症の暗殺者が探し物を見つけ、敵対勢力に勢いがつく。彼が陰謀に関わる組織に属していることはすでに提示されている。

第二十五章でラングドンはソフィーが身元を偽っていることを知る。彼女がラングドンの逃亡を助けたのは祖父殺害の真相究明のためだった。

第二十六章でラングドンは〈モナ・リザ〉の顔に隠された暗号に気づく。すべては「神聖なる女性性」、聖杯に関わることで、イエス・キリストとキリスト教の真実が隠れている。この小説のテーマでありラングドンの旅のゴールでもあるものが、ここで初めて提示される。

その真実とはあくまでもダン・ブラウンのストーリーの中でしかない。だが、それでかまわない。なぜなら、もう読者の心は鷲づかみにされているからだ。

あなたのストーリーのプロットポイント1は何だろう

条件を満たしているか。全体の中の位置は適切か。主人公の新たな望みや冒険を決定づけているか。何が危機に陥るかを明確に示しているか。主人公が成功あるいは失敗した場合どうなるか。新たな危険や逆風、逆境が生まれるか。

これらすべてを一瞬でこなさなくてはならない。最も大事な瞬間だ。

31 穏やかなプロットポイント1

前の節でストーリーで最も重要な瞬間は「主人公にとってすべてが変わるところ」だと述べた。これは多くの人にとって決定的なヒントになるだろう。大ベストセラーに欠かせないものだからだ。あなたの作家人生は今がプロットポイント1かもしれない。今、この文章を読んだ瞬間だ。

あとは作家人生を続けていけばいい。

この原則を受け入れなくては売れるストーリーは書けない。これがわかればストーリーの構造も身に染みてわかるはずだ。それこそが出版への道である。

突然のシフト。新たな勝負。新しい生き方。あとは抵抗せずに実行するのみだ。

タイミングは選べない

「自由に書いて何が悪い」と思う人にはショックだろうが、いつストーリーの流れをシフトさせるかは好き勝手に選べない。構成の原則が決める。プロットポイント1は全体の二十〜二十五パーセントを経過した地点、設定が終わった直後に置くべきだ。

「もうちょっとずらしたい」と思う気持ちが邪魔になる。ストーリーの物理に反するからだ。プロットポイント1が早過ぎれば設定不足になり、作家デビューは遅くなる。人物、特に主人公への共感を促すほどストーリーの緊迫感が増す。そして読者は感情を強く揺さぶられるのだ。

感情移入が大事である。

設定が薄いとプロットポイント1が来ても主人公の危機があまり心に迫ってこない。

赤の他人が不治の病の宣告を受ける場面を見るのと、近しい人が重病だと電話で知らされるのとでは感情の動きが全く異なる。

最初の六十〜八十ページを「設定」に費やすのは、読者から強い感情を引き出すためだ。

一方、「設定」が長過ぎるとだれてしまう。紹介や前置きが延々と続くと読み手は飽きる。

派手なプロットポイント1は目立つが、ストーリーによっては静かな出来事がふさわしいものもある。

誰かのささやきや意外な言葉、思わせぶりな視線、偶然の出会い。二度と会わないと思っていた相手からの手紙。さりげないがゆえに大きなインパクトが生まれることもある。

すべてが変わる瞬間がある

僕の青春時代の話を聞いてほしい。僕には好きな人がいた。名前はティナ。付き合って一ヵ月、すべては最高だった。互いの友人を紹介し合い、夢を語り合った。趣味も身体の相性もばっちり合った。

それが僕らの第一幕、パート1だ。ある時、すべてが変わった。かすかに、気づかないほどのレベルだったが、ティナの人生は完全に変わっていた。二人で公園を散歩中、僕がそれとなく将来の話をした時、彼女はふと遠い目をして言った。「その時まで私がいれば、そうね」と。

それは冗談ではなかった。そしてすべてが変わった。僕の人生の意味は変わり、新たなゴールが生まれた。乗り越えるべき壁があった。それは僕の内面の悪魔だった。

ティナは一ヵ月後に亡くなった。

人生がストーリーのようになることもある。構造がちゃんとある。

前にも述べた通り、映画『(500)日のサマー』は繊細なストーリーが素晴らしい。僕の実話とそっくりな台詞がプロットポイント1、正確な位置で起きている。映画を観て確認してほしい。

僕のラブストーリーは穏やかに幕を閉じたが、新しいヒロインで結末を書くまでに何年もかかった。

彼女の名はローラだ。

32 構成のグレーゾーンを見てみよう

ここで少し柔らかい話題を入れよう。構成の原理は作戦のようなものだと心得てほしい。作戦を紙に正確に書き、しっかり守れば安全。だが、遊ぶ余地もある。まず基礎を理解して経験を重ね、上達した後に試してみてほしい。

マイケル・ジョーダンは一度、目を閉じてフリースローをきめていた。プロならではの余裕だ。それを踏まえ、構成のグレーゾーンを見てみよう。これはアートだ。カジュアルな装丁で売られる本でもそれは変わらない。

ストーリー構成の視点

文脈や転換点の位置は構成で決まっている。それを不愉快に感じる人に、いい知らせがある。実は、そこまで杓子定規に構えなくていい。

音楽学校の新入生にアドリブは教えられない。まず基本の音楽理論を身につけてからだ。映画のシナリオを書く人はプロットポイントの配置に神経を尖らせる。だが、小説の場合は融通が利く。

交通ルールのように許容範囲がある。常にルール無視ではプロの運転手になれないし、いずれ事故も起こすだろう。だが、わずかなスピードの出し過ぎや停止線のはみ出しで実刑を食らうわけではない。

状況により、柔軟に解釈できる部分もある。

創作面の必要性に応じて構成の解釈を広げて構わない。どういう場合にどこまで広げるかは自分の判断次第だ。

出版を目指すなら、原則はおおむね守る方が安全だ。

プロットポイントがどれかわからない時

最近、飛行機の中であるスリラー小説を読んだ。僕と同じ地域に住む作家の本だ。いつものように構成を意識しながら読んでいく。構成の仕組みを知ればそうなる。その作家を疑うつもりはない。ただ、プロットポイントの位置や四つのパートの機能が見たかった。

どんな小説も映画も勉強材料になる。この前、僕は『スイスファミリーロビンソン』（一九六〇）の物語に夢中になっていた。

四つのパートの機能、転換点と緊迫感やペース、人物のアークの関連を意識するといい。

さて、僕は飛行機の座席24Aで、ホノルル・シアトル間を移動しながらプロットポイント1が来るのを期待した。読んでも読んでもまだ来ない。二十パーセントが過ぎ、二十五パーセントが過ぎる。三十パーセント地点まで来ると不安になってきた。

ニューヨーク・タイムズ紙でベストセラー入りした本だ。全三百五十六ページ中、プロットポイント1は百十八ページ目だった。構成の基本に合わない。

僕は考えさせられた。構成について、もっと突っ込んだ話が必要だ。

プロットポイントが自分のイメージと違い、予想した位置に来ない作品もある。

主人公が旅を始め、物語が前進し始めるところがプロットポイント1だ。主人公は敵や苦難と出会う。読者は主人公に共感し、応援する。

それだけのことをするのは大変だ。ストーリーの養分だから、しっかり取り込もう。

どこに配置するにしても、プロットポイント1とはそういうものだ。

だがよく見てみると、これはプロットポイントの定義でなく、そこでなすべきことの説明だ。

読み返してみてほしい。微妙な違いだが重要だ。

夫の不慮の死でヒロインの人生が変わる物語なら「突然夫が事故死する」場面がプロットポイントになるかもしれない。だが、「愛人が遺産の相続人になっている」という状況に対して戦う物語なら、事故死の場面は「設定」で、相続人の場面が「プロットポイント」だ。

主人公の冒険が始まる部分を読み取ろう。「設定」モードから「反応」モードに切り替わるところだ。
プロットポイント1では主人公の大切なものが脅かされる、と覚えておこう。

プロットポイントの位置に迷う時

これまで何度も「プロットポイント1は全体の二十〜二十五パーセント経過地点で」と述べてきた。それが最適な範囲だが、パート1の分量に応じて多少前後してもいい。

二十五パーセント地点を大きく過ぎるならプロットのひねりを足して緊張感を維持しよう。インサイティング・インシデントで関心を引き、プロットポイント1まで動きをつける。そうしなければ状況説明だけになり、読者を飽きさせる。

原則よりもずっと早めに置きたいなら、二十五パーセント地点で改めて転換点を設けてストーリーを緊迫させよう。主人公の進路もそこから変える。

プロットポイントの位置はペースの配分と関係がある。定位置からずらす時は全体のペースが乱れないか確認すべきだ。

プロットポイントは複数のシーンか、ある瞬間だ

プロットポイント1は突発的な事件とは限らない。連続したシーンの結果、起きることもある。それらのシーンはプロットポイントの近くに集まっているはずだ。

プロットポイントに似た場面が複数あってわかりづらいストーリーもある。前に挙げた「夫の事故死」の例で説明しよう。

浮気をしている夫が事故死する。妻は弁護士から「あなたは保険金の受け取り人に指定されていない」と告げられる。愛人が家に乗り込み、貴金属をすべてよこせと言う。遺言書には妻の結婚指輪も愛人が相続すると書いてある。

驚いた妻が戦う姿勢を見せると「反応」モードに入る。ということは、どこかでプロットポイントがあったはずだ。

ではどの瞬間がプロットポイント1なのか。

プロットポイントは全体の二十〜二十八パーセント地点の複数のシーンで徐々に起きることもある。妻の冒険の性質が変わり、ストーリーは新しい方向に向かう。だが、設定がすべて明らかになるまで出来事の意味は伝わらない。

再度考えよう。どのシーンがプロットポイントか。

特定する必要はない。複数のシーンの流れがプロットポイントとして機能する場合、読者はそれを受け入れる。書き手としては「愛人に遺産が渡ることに気づく」ところだとわかっていても、一連のシーンの流れが効力をもつ。

安心してストーリーを語ろう。

ストーリーの構成を理解して作ってほしい。確実にストーリーを運ぶためだ。ミュージシャンがメロディーを把握してからアドリブ演奏するように。スポーツ選手がチームメイトの位置を把握して動くように。俳優が脚本家の意図を把握してアドリブのセリフを言うように。

「何パーセント地点」というのは気にしないでいい。人物が抱く危機感やドラマ的なテンション、読者の共感の方がずっと大事だ。目安の配分に近ければ構造に守られる。

原則をないがしろにすれば厳しい結果が待っている。ストーリーは迷子になるだろう。

33 パート2「反応」を広く理解しよう

パート1のすべてはプロットポイント1で変わった。パート2で物語が本格的に始まった。さて、どうする？

パート1は複雑だった。何も語らずすべてを語れ、という感じだ。それに比べるとパート2は単純だ。冒険に出た主人公のリアクションを描写すればいい。冒険に戸惑う表情も見せる。

実際、僕らは戸惑う。突然転機に見舞われたら、即座に流れに乗れるだろうか。いきなり主役の座に躍り出て、迷わず最善の選択ができるか。一晩で解決しようとするか。

たぶん、それは無理だろう。まず身の安全を確保し、アドバイスを求めるに違いない。逃げ、隠れ、家族を心配するだろう。情報を求め、とりあえず落ち着くための場がほしくなるだろう。選択肢を検討しながら自分を立て直そうとする。

パート2で描くのは主にそうした反応だ。

主人公がどう反応するかはプロットポイント1の出来事によるが、状況が一気に緊迫した後だから、主人公の行動は読者にとって納得できるものにしよう。内面の悪魔が主人公を翻弄したとしてもだ。主人公が恋人に「本命はあなたではないの」と言われたとする。彼は落ち込む。説明を求める。恋人を取り戻そうと躍起になる。あるいは捨て台詞を残して引っ越す。

恋人か誰かが彼を殺そうとすれば、彼は身を守る。警察に通報する。理由を知ろうとする。計画を立てる。主人公が乗った飛行機がエンジン故障で旋回しながら降下すれば、彼は叫ぶ。そして祈る。隣の席の乗客を励ます。

主人公はいきなりコックピットに駆け込んで操縦しようとはしない。そこに至るのは少し後だ。主人公はまず、人間らしい反応を見せる。パート2で描くのはそうした反応だ。

パート2は反応がすべてだ

パート1がうまくできれば読者は主人公に感情移入する。敵が現れた時には主人公を応援するはずだ。主人公の危機を感じ、はらはらするだろう。

読者を「完全に釣る」とはそういうことだ。読者に充分感情移入してもらってから闇を解き放つべきだ。

パート2は十二〜十五シーン程度になるだろう。そのすべてで反応を描く。主人公を活躍させたくなったら我慢しよう。「試みるが失敗する」程度にとどめる。

まだタイミング的に早いのだ。

もし試みるなら、失敗から何かを学ばせる。敵対者は強さを増して接近する。パート2で解決に失敗した主人公は自分の欠点（内面の悪魔）と向き合う。自分自身と敵について何かを学び、パート3での反撃に生かす。

『ダ・ヴィンチ・コード』はパート2でこのような反応を描いている

『ダ・ヴィンチ・コード』のパート2でラングドンはパート1で設定されたことへの反応以外、何もしていない。

一方、ラングドンを追う警官たちの視点の描写は緊迫感を増す。これは読者だけが知る情報だ。ラングドンは警官がどれほど近くにいるか気づかない。

プロットポイント1では闇の勢力に殺された人物がおり、警察はラングドンに容疑をかけている。ラングドンは反応する。逃げなくてはならない。

第二十七章で警察官らがラングドンの逃走について話す。

第二十八章でラングドンは警察官に見つかり、反応する。

第二十九章で色素欠乏症の暗殺者が手がかりを見つける。彼がラングドンに近づく予感。緊迫感が高まる。

第三十章でラングドンとソフィーは警備員を脅し、ルーヴル美術館から逃げ出す。

第三十二章から四十二章の間は時折ラングドンに見えない視点に切り替わる。ラングドンとソフィーはひたすら逃げるのみ。二人は見たものとその意味について会話を続ける。

第四十三章でラングドンは銀行にたどり着き、鍵を使って金庫を開けようとする。ここでの行動もまだ反応だ。目標が定まっておらず、手探り状態である。

第四十五章で銀行に見つかり、二人はまた逃げる。休む暇もない。

第四十七章で二人は盗んだ装甲トラックに乗っている。まだ逃走中。

百パーセントリアクションで占められている。ラングドンとソフィーの場面は警察が迫る場面と交互に描かれる。

誰が、なぜ自分を追うのかラングドンは知らない。ストーリーが投げかけてくるものに反応するだけだ。

典型的なパート2の流れだ

パート2から3への架け橋となるミッドポイントは第五十一章だ。全部で百五章あるから、ちょうど真ん中に近い。原書のハードカバー版では合計四百五十四ページ中二百十三ページ目で、やはり理想的な位置にある。

それ以上に、転換点をきちんと作ること、しっかり機能させることに意識を向けたい。

ペース作りとシーンの選び方

パート2で主人公の逃走や試みを描く際、つなぎ方を論理的にする必要がある。

パート2で描くことは三種類ある。引き下がって立て直す、やってみるが失敗する、ピンチポイント（三十六節参照）で敵の力を再び提示する。全部でおよそ十二〜十五シーンほどになるだろう。

パート1のすべてをプロットポイント1に向けて作ったように、パート2のシーンはすべてミッドポイントに向けて作る。ミッドポイントに来たら、再び新たな展開にシフトする。

もし仮に、プロットポイント1直後に反応を一〜二シーン描き、小休止や立て直しを一〜二シーン描き、ピンチポイントに向けての設定シーンを挿入し、ピンチポイントとそれにつれて起きることを一〜二シーン描き、その後二〜三シーンを描いてミッドポイントに向かわせるとどうなるか。

パート2の十二〜十五シーンのうち十シーンほどの流れが決まるのだ。構成の原則に従えば「次は何を書くべきか」が自動的にわかる。

コンセプトとプロットポイント1が決まればパート2の計画もほぼ決まる。ストーリーの概略がつかめていれば（a）今は全体のどの位置で（b）そこで何が起きるべきで（c）全体の流れで見るとどこへ向かうべきか、がわかれば「続きが思いつかない」と夜通し悩まなくて済む。

むしろ、夜通し原稿を書くようになるだろう。

先に進むほど、続きが思いつきやすくなるだろう。ストーリーが要求するものがはっきり見えてくるからだ。

構成を理解すればするほどそうなる。文脈と配置、使命と目的を熟知すればシーンのアイデアが浮かぶはずだ。それでもアイデアが形にならないなら、アイデア自体に力がないのかもしれない。どこに何を置けばいいかを知ろう。ペースと緊迫感を最大限に引き出すタイミングを見つけよう。構成の原則をつかめば失敗は減る。

34 ミッドポイントを理解しよう

結末に向かう途中で面白いことが起きた。流れが変わった。物語のちょうど真ん中だ。とても意外な展開だ。

そう思わせるのがミッドポイントだ。かすかな表現で示す場合もある。

ミッドポイントは三大転換点の一つ。シンプルで柔軟性がある。だから初心者やパンツァーに見過ごされやすい。簡単すぎて、すっ飛ばされてしまうのだ。

ミッドポイントとは「ストーリーのちょうど真ん中で提示される、主人公や読者の体験や理解を変える新情報」だ。

閉じていた幕が開くようなものだ。それまで出されていなかった情報でもいいし、全く新しい情報でもいい。それを出すことでストーリーの流れが変わり、新たな重みと緊迫感が加わる。

ミッドポイントは「意味」を通じて物事を変える。見えなかったものが見えるようになると、主人公はパート2の放浪者からパート3の戦士に変わる。

転換点はテントの支柱

プロットポイント1とミッドポイント、プロットポイント2（詳細は三十七節）は「ストーリーというテントを張るための三本の支柱」だ。一本でも欠けると全体が傾き、物語の重みが支えられなくなる。

テントもストーリーも基礎が大事だ。

ミッドポイントで出す情報はストーリーの筋を変えるのではなく、主人公と読者がそれまで理解してきたことを覆す。まだ主人公も読者も全体像を把握できていなかったはずだ。

主人公がすでにその情報を知っていたなら、ミッドポイントで行動を変えるはずだ。うまく流れを作ろう。この後、パート3で主人公は「攻撃」モードに転じるからだ。

「夫が妻の浮気に気づく」物語だとしよう。夫はプロットポイント1で浮気の件を知り、反応する。ミッドポイントで「いつも自分の味方だった弟が、実は妻の浮気相手だったとわかる」としよう。立ち向かう相手がわかり、主人公は積極的な行動に出る。

ミッドポイントは触媒のようなものだ。新しい認識から新しい決断や態度、行動が生まれる。

ミッドポイントの例

ロビン・クックの『コーマ―昏睡』（ハヤカワ文庫、林克己訳）のヒロインは病院内で相次ぐ医療事故の鍵を握る人物を探して奔走する。手術の失敗を偽装して臓器が闇取り引きされている。なんとも怖い話だ。パート2でヒロインは上司たちの協力を求める。作者クックはミッドポイントで読者にだけ新情報を提示すると、彼女は何者かに命を狙われる。実は上司たちが黒幕で、ヒロインだけがそれを知らない。緊迫感に全く新たな意味合いが生まれる。

一方、ヒロインは「味方を得たの」とボスに打ち明け、敵に情報が筒抜けになってしまう。彼女が真相を知るのはプロットポイント2。それまで読者は彼女を見守るしかない。パート3でヒロインはボスから情報を引き出すが、さらに窮地に陥っていく。

別のラブストーリーを例にしよう。プロットポイント1で主人公の婚約者が「自分の気持ちに自信がない。式を延期しましょう」と言い出す。状況が一変し、主人公に新たなニーズが生まれる。パート2で主人公は反応し、原因を探る。ここまでは構成のパターン通りだ。

ミッドポイントで新情報が出て、彼女が二股をかけていたことがわかる。主人公の認識が変わり、パート3で問題にアタックする。

婚約破棄の物語はミッドポイントで出す情報により、テンションや緊急性が上がる。

主人公の流れを変えれば読者も一緒についてくる。一方、主人公が知らないところで読者の認識を変えるとストーリーのテンションが高まり、効果的だ。

どちらにしてもミッドポイントでストーリーはギアが上がる。

『ダ・ヴィンチ・コード』にはミッドポイントが二つ存在する可能性がある

適切な位置で機能していれば、ミッドポイントが二つでも問題ない。ダン・ブラウンのように原則を応用してもかまわない。

前の節でミッドポイントが第五十一章にあると述べたが、第五十五章にもそれらしきものがある（全体のど真ん中より少し後）。機能はしているが、位置が少しずれている。ダン・ブラウンは二箇所で新たな情報とひねりを投入し、どちらもミッドポイントの働きをさせている。

第五十一章でラングドンとソフィーは専門家ティービングに会いに行こうと決める。ストーリーは暗中模索から希望へ、あてのない逃走から的を絞った攻撃へと変わる。

第五十五章では聖杯がただの器ではなくマグダラのマリアの子宮を指すことが語られる。これで理由がわかる。なぜ教会が真実を二千年間隠してきたか、真実を暴こうとする者を狙う暗殺者がなぜいるか、この秘密を利用しようとする秘密結社がなぜ存在するのか。

二つのミッドポイントはストーリーの流れを変え、主人公と読者の体験も変える。緊迫感も一気に高まる。危機と決戦の場が具体的になるからだ。

35 パート3で「攻撃」を始めよう

主人公はパート1「設定」とパート2「反応」ではまだ活躍しない。敵や試練に出会い、人間くさい態度を見せていた。その姿はまだ大胆ではない。

パート1で紹介する人間性（かけがえのないもの）とパート2で主人公が見せる反応（共感）が読者の感情移入を促し、ヒーローと読者をつなぐ。読者は（a）主人公に自分を投影し（b）主人公の心情を感じ（c）日常生活を忘れて物語にのめり込む。だから読者はストーリーを読む。この欲求に応じることは大切だ。

その後、ヒーローが立ち上がる時が来る。

パート3まで来れば本腰を入れねばならない。

パート2では反応するのに精一杯。パート3で積極的に行動する。シンプルだが、細かな点に配慮して描きたい。

一つはミッドポイントで出した情報を生かすこと。

主人公はパート2の時点から一生懸命だったかもしれない。それも合理的な反応と言えるし、シーンにも勢いやテンションが生まれる。

ただ、パート2では何をしても空回りだったに違いない。むしろそうあるべきだ。パート2では敵の強さや貪欲さを描くといい。読者は「今の主人公では負けそうだ」と感じてテンションが上がる。

悪者、あるいは敵対勢力？

「敵対勢力」とは主人公の前に立ちはだかるものだ。悪者やあくどい団体、天候、いやな上司、地球を侵略するエイリアン、浮気する配偶者、秘密、内面の悪魔などさまざまだ。

敵対する相手が悪でない時もある。愛や平和を求めて問題を乗り越えようとしたり、約束を守るため、正義を求めるために頑張る物語もある。ウィリアム・フリードキン監督の映画にありそうな（四十歳以下の人は検索しよう）心の闇がなくてもかまわない。

何にしても、敵対勢力はすべてのストーリーに必要だ。プロットポイント1以後は主人公に逆風が吹かねばならない。その風の力を表すのが敵対者。悪者、あるいは主人公に対して考えや動機を衝突させる人物を指す。自然の脅威や社会的な圧力もあり得る。税務署も敵対勢力だ。誰しもうなずくことだろう。

パート3で描く積極性

主人公は敵対勢力と対決し、ヒーローとしての力を試す。パート3は主人公が計画を実行に移して反撃するところだ。協力者を求め、勇気を奮って先頭に立つ。

主人公は強くなる。反応者から攻撃者に、放浪者から戦士になる。パート3の主人公は非常に積極的だ。成功するかはわからないが、失敗するたびに学んで立ち上がる。

同時に内面の悪魔との戦いも本格化する。

パート1で主人公を躊躇させる心の声や思考パターンを設定した。パート2ではそれが主人公の反応にかすかに影響するのが見えた。優れたヒーローは自分の欠点を自覚し、パート3で変わり始める。自分の弱さと向き合い、乗り越えようとする。

パート3（十二〜十五シーン程度）は全体の約七十五パーセント地点まで。積極的な攻撃を描く部分だ。ここで再び、主人公を阻止するものを読者に提示しよう。ストレートに、ドラマチックに逆風を吹かせてほしい。

一つのシーンを丸ごとその描写に費やすべきだ。

パート3のど真ん中にピンチポイント2を設ける

敵の勢力を読者に思い出してもらうための描写を「ピンチポイント」と呼ぶ。ピンチポイント2では敵が本質的に何者で、どんな力をもつかを示そう。これまで以上の迫力で。

主人公が強くなったように、敵も力を蓄えている。主人公の手の内を知り、対抗策を練っている。

主人公と敵とが競り合えばテンションもペースも上がる。

ピンチポイントの詳細は三十六節で述べる。今はただ、パート2とパート3、それぞれの真ん中に入れることだけ覚えておこう。

『ダ・ヴィンチ・コード』のパート3を見てみよう

ラングドンとソフィーは警察や色素欠乏症の暗殺者に追われ、パート2の大部分で逃げていた。パート3で彼は考え始める。教会に逃げ込むのでなく、手がかりを探しに行く。

彼の行動は「警察から逃げる」からミッドポイントで「専門家ティービングを探して走る」に変わる。

ラングドンとソフィーは攻めの姿勢に転じ、問題解決に向けたアクションを始める。殺される前に状況を把握しなければ、という受け身の状態から脱している。

36 ピンチポイント

ピンチポイントとは「ツボのようなものですか?」と戸惑う人が多い。転換点の中で最も単純で効率がいいツールだ。

ピンチポイントの機能

プロットポイント1で初めて敵が正面から見えた。その敵を見れば主人公の望みも見えてくる。以後、敵の存在を文脈の中に表し続けよう。敵の脅威をまざまざと見せるべき時もある。読者は主人公が立ち向かうものを時折、直接感じたいと思うからだ。先々どんな危険や難関があるか確かめたい。

パート2で主人公の「反応」を描く時、敵は背景に隠れがちだ。そこでピンチポイントを設け、敵の要求や出方を見せる。

ピンチポイントとは何か

ピンチポイントとは「敵対勢力の性質と予想される結果を示す例、あるいは思い出させる描写。主人公の目線でなく、読者が直接体験できるように描く」。

ストーリーの中でピンチポイントを二ヵ所に設ける。

ラブストーリーを例にしよう。プロットポイント1で主人公は恋人に弄ばれて捨てられた。深い理由は主人公にも読者にもまだわからない。主人公は彼女を取り戻そうとする。最初の使命は「別れの理由を知ること」だ。

主人公の「敵」は彼女で「敵対勢力」は彼女の無関心だ。それが復縁したい主人公にとっての障壁になる。

読者はパート2を主人公の視点で体験する。悲しみと困惑、将来への希望。みな経験することだ。他人事とは思えない。

だが、読者は彼女がどんな人物かも見てみたい。説明や噂、回想などでなく、主人公の立場から生々しく体験したい。その願望に応えるのがピンチポイント1だ。主人公が知らないところで、読者だけが目撃する形でもいい。読者は何も知らない主人公を見守ることになる。

捨てられた主人公の物語では、例えば雪景色の高級リゾートホテルで他の男と楽しむ彼女の短いシーン。それで十分だ。男と一緒にいることだけがわかればいい。

不動産もピンチポイントも立地がよければそれでいい

ピンチポイントの内容は簡単でいい。人物が何かの出来事を少ししゃべる程度でもかまわない。嵐の予感をちらりと見せれば潜在的な威力は大きい。

誘拐犯が遊び半分で人質をいたぶる、人質の声をまねして身代金を要求する、といった場面などだ。ピンチポイントでは敵の存在を読者に見せる。ストレートで簡潔なほど効果的だ。

ピンチポイント1はパート2の真ん中、ピンチポイント2はパート3の真ん中に置く。それぞれストーリー全体の八分の三、八分の五の地点だ。

ピンチポイントのための設定が必要なら書き加えよう。

映画『トップガン』の敵対勢力は主人公自身のバックストーリーだ。彼は父の不名誉を払拭したくて向こう見ずな態度をとる。パイロットとして「マーベリック」の異名を持つが、自分の将来も仲間の命も危機に陥れる。

飛行演習で彼は不注意から失敗。その直後にライバルは彼に言う。「お前の技術じゃなくて考え方の問題だ。お互い気が合わないかもしれないが、お前は誰の味方なんだ?」。これがピンチポイント1だ。たった三十八秒間のセリフである。

主人公と相棒はしょんぼりし、考え方に問題があると同意する。ここもピンチポイントだ。主人公の過去が彼の敵であり、どんな悪影響を及ぼしているかがはっきりわかる。

クリント・イーストウッド監督の映画『ミリオンダラー・ベイビー』(二〇〇四)ではボクシングの老トレーナーが女子選手と夜更けのドライブに出る。ふと、彼女はトレーナーに「父は長年飼っていた犬を安楽死させたことがある」と打ち明ける。

その直前のシーンはこのピンチポイントへの設定以外の何物でもない。彼女はガソリンスタンドで少女と犬を見かけ、ふと何かを思い出す。後で彼女が思い出話をする時、その意味がすぐわかる。わからない人のために念押しで、エピローグで「あなたしかいないの」とセリフがある。

愛犬の安楽死を選んだ父を思い出すシーンにも意味がある。後の試合で彼女は頭を強打して全身麻痺となり、トレーナーは似た局面に立たされる。ピンチポイントでの会話は結末の伏線でもあり、テーマを簡潔に伝えている。彼女は孤独で、頼れるのはトレーナーだけだ。彼にとってもそれは同じ。人生最後の望みを叶えるために必要な相手だ。

二つのシーンでピンチポイントとテーマ、伏線、設定がすべてなされている。

『ダ・ヴィンチ・コード』のピンチポイント1は原書のハードカバー版で百五十八ページ、第三十七章だ。謎を追うラングドンはテンプル騎士団と聖杯探求に行き当たる。これぞストーリーの敵対勢力だ（と言うと皮肉でもあるが）。教会は「聖杯」の意味や隠し場所を明かさず、秘密に近づく者を殺そうとする。ラングドンの気づきは三十五パーセント経過地点で起きる。最適指標の三十七・五パーセント地点に非常に近い。

ピンチポイント2の位置も正確だ。1同様やや早めだが、第六十四章にある。暗号の手がかりが入った箱をラングドンが開けようとした瞬間、背後から暗殺者が襲いかかる。

この場面はピンチポイントそのものだ。暗殺者はストーリー全体の敵対勢力を表す。ラングドンが手にしようとしているものは彼がずっと探していたものだ。主人公と読者は行く手をふさぐものをはっきりと思い出す。

ダン・ブラウンがストーリーの構成を踏まえていることは間違いない。仕上がった小説が生んだ成果は誰の眼にも明らかだ。

おいしい食事に例えてみると

体重を増やすために三度の食事をしっかり摂るとしよう（ストーリーに勢いとテンションを与えることの例えだ）。朝昼晩に必ず食べる。間食もＯＫだ。

三度の食事はプロットポイント1、ミッドポイント、プロットポイント2だ。

ストーリーを元気にするには抜いてはいけない。

栄養価が高い間食はピンチポイントだ。朝／昼、昼／夜の間のエネルギー補給に役立つ。食事時間の直前直後でなく、ちょうど中間を見計らって食べる。

更に体重を増やすなら間食も追加する。悪者が何かをする場面を増やすのだ。ドラマ的に高カロリーになるほどよい。

37 プロットポイント2を設けよう

三十節で「プロットポイント1は最も重要な転換点」だと述べた。流れがうねり始めるところだ。それに比べ、プロットポイント2はさほどパンチがあるとは限らない。だが、これがなければストーリーは成り立たないから、しっかり見ていこう。

プロットポイント2とは「ストーリーで最後に提示される新情報。以後、主人公のアクション以外に新しい状況説明はない。主人公に必要な情報はすべて揃い、結末に向かう」。

プロットポイント2を境にストーリーは「解決」モードにシフトする。最後の追い上げが始まるのだ。

プロットポイント2の価値

プロットポイント2で情報を得ると主人公の旅は加速する。新たな局面で新たな戦略が生まれ、求めるものが間近に見える。新たな危険も迫りくる。

結末が近づく気配も感じるだろう。ストーリーは最終コーナーを曲がって突き進む。だが、いつ何に衝突するかわからない。

読み手ははらはらする。だが、書き手は先の流れをしっかり把握しておこう。

プロットポイント2はパート3と4との境、全体の七十五パーセント経過地点に置く。主人公が戦士から英雄に変わるところだ。殉教者のように命を賭け、なすべきことをしようとする。

プロットポイント2で主人公は解決に必要な学びを得る。ミッドポイントでしたように主人公に何か情報を与えてもいい。解決の決め手になる情報だ。ここですべての情報が出揃う。

デニス・ルヘインの小説『シャッター・アイランド』で主人公は失踪した女性患者らしき人物と洞窟で出会う。主人公の考えによると、この女性（後に彼の幻覚だとわかる）が彼を正気に戻し、妻が邪悪な医師にロボトミー手術されるのを阻止できる。前に出てきた暗い灯台が舞台だ。

すべての情報を得た主人公は解決に向けてまっしぐらに走る。典型的なプロットポイント2だ。

『ダ・ヴィンチ・コード』のプロットポイント2は第七十五章にある。

ラングドンは古写本の暗号を解読する。ダ・ヴィンチの絵画をはじめ、すべての謎を解く鍵だ。

また、ラングドンの協力者はみな悪者だとわかる。黒幕はティービングで、暗号の秘密を知るために色素欠乏症の暗殺者を送ったのも彼だ。

これがストーリー中、最後の新情報だ。以後、ラングドンは聖杯のありかを探し、真相を突き止めるために走る。

しっかりしたストーリーではプロットポイント2も適切な位置にある。

プロットポイント2の前の小休止

小説にも生かせる映画のシナリオ術がある。たくさん映画を観ても気づかなかったかもしれない。見通しが暗くなって絶望する場面があるとすれば、それはプロットポイント2の直前なのだ。

ジョージ・p・コスマトス監督映画『トゥームストーン』(一九九三)で敵のクラントン一家がアープ一家(ワイアット・アープ)を町の外に連れ出す。ワイアットたちは悪者の子分に始末される手筈で、緊迫した状況の中、別れを告げさせられる。

テンポはスローに、灯りは暗く、音楽は沈鬱だ。ワイアットと仲間は絶体絶命。これがプロットポイント2の直前の小休止だ。

次にプロットポイント2へ移ると駅のシーンに変わる。町から連れ出されたはずのワイアットはホームに立ち、列車から兄が手を振っている。何か秘策があったのだろうか?

クラントンの子分たちが現れるとワイアットは不意をついて撃ち、生き残った者に「新しい保安官だ」と言う。この後、子分は仲間に「大変だ、あいつらが来る!」と伝えるのだ。

「プロットポイント2だ!」と叫ぶ声のようでもある。

ジェームズ・キャメロン監督の映画『タイタニック』のプロットポイント2は船が沈む瞬間だ。乗客は暗い海に投げ出され、残骸が漂う海に恋人たちが残される。そこから先はパート4。必然的な結末へとひた走り、プロローグと揃いのエピローグで終わる。

その瞬間まで小休止はあまりない。映画史上に残る豪華なCG映像ぐらいだ。『ダ・ヴィンチ・コード』もプロットポイント2の前の小休止はない。印税の使い道で税理士との相談に忙しかったのかもしれない。

小休止のシーンを入れるかどうかは自由だ。

プロットポイント2の計画

計画なしに書くタイプの人はプロットポイント2で悩むだろう。ストーリーの構造がつかめていなければ脱線する。そうした人のストーリーにはプロットポイント2がない可能性が高い。編集者はそれを見抜く。

プロットポイント2でパンチを効かせるために、あらかじめ情報をキープしておくべきだ。パズルの最後の一片。最後に加える素材だ。パート4で読者を驚かせる時も、ここまでに提示した情報のみが材料になる。

エンディングの始まり

パート4で終わりの部分が始まる。プロットポイント2を皮切りに十〜十二シーンほどになるだろう。何を皮切りにするかは説明しにくい。何でもいいからだ。

恋愛ものなら主人公が仕事を捨て、別れた妻とよりを戻すために探しに行くなど。スリラーものなら人質が逃げ、警察に通報しようと嵐の港にやってくる。パート4では助かるまでの流れを書けばいい。

プロットポイント2は三本の支柱の一つ。プロットポイント1、ミッドポイントと共に物語を支える。

立てるタイミングが早いとテントは傾く。遅いとパート4のサスペンスとドラマ性が弱くなる。ストーリーで力強くしたい部分があるとすれば、それはエンディングだ。

38 最終幕

構成のパート分けや転換点の設置を嫌がる先生がたがいる。形式的で自由がない、文章は数字に合わせて書くものじゃないと言う。

彼らが構成を語る時は工学的な用語でなく、文学的で格調高い言葉を使う。作家の感性で話すのだ。ストーリーを右脳の感性で作る時、左脳の論理性を用いるのに不慣れなのかもしれない。

そうした先生がたの作品も構成の原則に当てはまっているから面白い。彼らが授業でとりあげる作品は特にそうだ。意識していなくても、実は左脳も働かせているはずだ。

構成を語るより、実行する方がはるかに大事だ。どれだけ理解しているかはさらに大事だ。

映画の脚本家は構成の用語に対して共通理解がある。彼らにとって格調高い文学はむしろ役に立たないぐらいの認識だ。

パート4の話をしよう

僕は構成を見たままの名で呼びたい。四つのパートの間にプロットポイントとミッドポイントがある。それが文学畑になじまないなら「プロットのひねり」と呼んでもかまわない。主人公の望みと旅路、障害を設定する。ピンチポイントを二ヵ所に置く。主人公に読者が共感できる学びと成長をさせる。それらをつなぎ合わせてシーンを書く。

新鮮で魅力的なアイデアやテーマ、意図、世界観、プロットで描き出す。どうだろう。かなりクリエイティブだと思う。

構成はストーリーの設計図だ。それを基に、巧みなニュアンスを加えて書けば素晴らしい作品になる。

簡単ではないが、ようやくすべてが明快になったのではないだろうか。

ではパート4、物語のフィナーレに移ろう。実はこの部分に設計図はない。ルールもない。守ることはただ一つだ。

パート4を成功させる条件

新しい情報を出さない。それがパート4「解決」部分のルールだ。情報を出すならあらかじめ伏線を張るか、言及しておく。パート4で新しい登場人物も出してはならない。

あとは自由にエンディングを書けばいい。賢い書き手は次に挙げるガイドラインにも従う。

物語作りは芸術だ。自由でいい。出版を目指すならガイドラインを守ろう。

主人公に行動させる

主人公は中心人物だ。自ら準備し、先へと進む。何もせず傍観させたり、語るだけの脇役に転じさせたりしてはならない。都合よく助かってしまうのはもってのほかだ。

そんな作品が却下されるのを僕は山ほど見ている。世に出た作品ではめったに見ない。あるにはあるが、すぐに忘れ去られる。

人間的に成長する

主人公は「内面の悪魔」を克服する。その兆しがパート3で見えても、行動に表れるのはパート4だ。パート3は主人公が激しく葛藤するところ。前に進むためには自分の内面をどう変えるべきか理解し、パート4の最後に行動で示す。

読者はずっと主人公の心の葛藤を見てきた。ついにそれが解決し、対外的な問題の解決にも生かされるのだ。

人としてよい方向に変わる

主人公は勇気や知恵、自由な発想を披露してストーリーを解決に導く。ヒーローと呼ばれるにふさわしい活躍だ。

読者の感情に訴えるにはパート４以前の部分が大事だ。その上で最後に読者がヒロイズムを感じた時、エンディングは成功する。虹の終わりに金の壺を置こう。読者の記憶に残り、涙や喝采を得る作品にするために。

読者の感情をかき立てることができたなら、出版デビューの日も遠くない。

シリーズものを書く場合

単独のストーリーならエンディングでの解決は主要な物事のみに絞ってもいい。小さなことにどこまでオチをつけるかは自由だ。

だが、シリーズものでは緻密な計算が要る。一つの巻で提起したプロットはその巻で決着させつつ、シリーズ全体を通して描き続ける流れもあるからだ。

シリーズを通して続く流れは人物的なものが多い。ハリー・ポッターなら両親を殺した犯人探しの部分だ。

一つの巻が何も解決せずに終わると大失敗だ。単独でも成立できるぐらいに決着をつけよう。一作目が成功しないとシリーズものは出せない。

続編が出せるようになれば、一巻ごとにユニークな物語を作る。シリーズ全体の流れと並行させながら、その巻の中でのことはその巻で決着をつける。

すると、すごいことが起きる

ストーリー全体の四分の三までの転換点や主人公への共感、アークを作れば、パート４の内容は自然にわかる。迷ったら、ゆっくり散歩でもしながら振り返るといい。

パート３まで書いてから結末を考えろ、という意味ではない。とんでもない話だ。

パートや転換点を目印にパート３までを作らない限り、思った以上にパート４で迷ってしまう。計画性があって初めてパート４が自由に展開できる。

どうせならパート４も事前に計画する方がいい。後でベターな結末を思いつくとしても、計画は豊かな下地になる。

結末を決めかねている場合も、他の主なストーリーポイントは事前に決めておこう。パート１から３までを作る過程で方向性がつかめる。

アウトラインなしで原稿を書くとパート４でつまづく。書き直しの手間と苦労が増える。

アウトラインに限らず、どんな設計もしないで原稿を書くと細部の詰めが甘くなりがちだ。結末の前まで書いたところで後戻りして、前の三百ページを書き直すのは難しい。

終わり方がまずいストーリーが多すぎる

それでも出版されて、まあまあ売れるものもある。構成や人物の魅力でカバーできる部分もあるからだ。言葉は悪いが、人気作家のネームバリューで売れる場合もある。

無名の作家の場合、結末も優れていなければ採用してもらえない。読者を満足させない、つまらない、唐突で論理性のない結末は却下の対象だ。

作家デビューを目指すならホームラン級のエンディングにしよう。プロがほどほどのレベルで甘んじている中、高評価が得られるかもしれない。

構成を知れば結末の作り方にも迷わない。パート3まで作った時点でまだ迷うなら、作り込みが浅い証拠だ。

小さな字で書くただし書き

水難事故で救助が来ると、泳ぎが達者でない人は必死で抵抗するという。パニックに陥ったせいで抵抗すると、余計に危ない。

ストーリーの構成に抵抗する人は想像以上に多い。まるで作家になる夢をへし折られたかのように猛烈に抗議する。「型にはめれば価値がなくなる」と。有名な作家は思いつくままに書いているかもしれないが、彼らも無意識のうちに構成に従って書いているはずだ。

原稿を書き直してストーリーを修正するのは善後策だ。自慢できることではない。

過程はどうあれ、世に出たストーリーには構造美がある。ベルサイユ宮殿の美と同じだ。当時の工事がどうだったかはわからないが、基礎工事や石工の貢献なくしてあの建築は成り立たない。

この考えが受け入れられない人は登場人物にあてのない散策をさせてストーリーを描こうとする。そうした意見はインターネット上でもしょっちゅう出るが、発言者は著書を出したことがない人や、自費出版の著者だけだ。大多数のプロは自分なりの方法を知って書いている。

ゴルフで「当てもなく球を打って歩こう」とは誰も言わない。即興芸術のような面白さはあるだろう。何が起きるかわからなくて興奮したいなら麻薬や酒、乱交やロシアンルーレットもある。それらは知的で生産的な活動ではない。

過程を楽しむことと、製品を仕上げることとは別だ。

過程こそすべてだと思っているなら目を覚まそう。出版はほぼ無理だ。

医大に行かずに手術をしようとするようなものだ。いくら頑張ろうとしたって、患者の命を任せるわけにはいかない。

テレビの医療ドラマを欠かさず観ても盲腸の手術はできない。トム・クランシーの小説を読破してもスリラー小説が書けるわけではない。

フィクションで目指す至高の目標はストーリーの構造だ。トム・クランシーも他の作家たちもみなそれを理解している。即興で書いているにしてもだ。

彼らがどのように書いているかはどうでもいい。

自分が書くものに対して何を知っているかが重要だ。

シェイクスピアのように文体に凝り、ティム・バートンのように空想してもいいが、構成がなければ何を書いても採用されない。

それが現実だ。

それを踏まえ、少しだけ前言を修正させてほしい。

あなたが映画のシナリオを書いているなら、構成の縛りは非常に厳しいだろう。タランティーノと肩を並べるほどでなければ崩すのは無理だ。「例外」扱いはしてもらえない。

シナリオライターはそうした制限を受け入れ、その中で自由な発想を羽ばたかせている。

小説はそれより柔軟だ。この本で述べた構成のガイドラインは命令ではなく「原則」なのだから。

僕が転換点の位置を指定しても、それは「だいたい」という意味で捉えてほしい。パートの分量についても自分で加減してほしい。

ガイドラインに沿う限り安全だ。書店に著書が並ぶための道である。

原則を完全に無視したストーリーは売れない。

ストーリーの構造の意義を唱えることは、子供の躾と似ている。親は子供に「言うとおりにしなさい」と言う。「私がするとおりにしなさい」とは言わない。また、「いいことをすれば自分に返ってくる」とも教える。

いいことをしても報いがない場合もある。それが人生というものだ。原則が全く無意味なわけではない。原則を守って成功するケースより、原則を無視して夢破れるケースの方がはるかに多い。

子供は巣立ってわが道を行く。成功するかどうかはそれぞれだ。

ストーリー創作の世界に確実な保証はない。構成を学んで出版に至る作品もあれば、やっぱりだめな作品もある。構成にはある程度柔軟性があるが、絶対に守りなさいとも言えない。果てしない創作の海の中、唯一の救命ボートは「自分で作る」。あるいは「選ぶ」と言うべきか。おそらくそれは「ストーリーの構成」と脇に書かれた軍艦だ。

紙39 一枚に収まるたった一つの最強のツール

ここに挙げるリストを見てほしい。本当に紙一枚に収まる（印刷用のページは writersdigest.com/article/story-engineering-downloads［英文］）。棚いっぱいのハウツー本を凝縮した内容だ。リストの質問の意味がわからなければ本棚に戻っていろいろ読もう。

わかるなら取り組もう。そしてベストセラーを書こう。

ストーリーの完成前にチェックすることを質問形式で書いてある。以前は「書く『前に』知るべきこと」と呼んでいた。ほぼ完璧な初稿を仕上げたい人向けだ。

このリストを使えば本当に完成度が高い初稿が書ける。僕も三、四本の原稿を仕上げて出版することができた。

アウトライン作りが面倒な人は書いた原稿を見て答え、次の稿に反映すればいい。

答えられないものが二、三問でもあれば原稿は完成しない。それほど効力がある。

コピーして身近な場所に貼ろう。質問の意味を理解し、答えを作品に反映できればストーリーの完成度が高まる。

ストーリーのコンセプト面のフック／魅力は何か。

◆「もし〜なら（what if）？」の問いで表せるか。

◆その問いに答えられるか。

◆その問いは即、新たな「もし〜なら？」を生み、プロット展開を促すか。

ストーリーのテーマは何か。

◆ある視点からテーマを描きたいのか、テーマを探求したいのか。

◆ストーリーから複数のテーマが思い浮かぶか。

ストーリーはどのように始まるか。

◆出だしにフック（興味をそそる部分）はあるか。

◆プロットポイント1の前、主人公は何をしているか。

◆プロットポイント1までにどんな危機感が設定されるか。

◆人物のバックストーリーは何か。

◆ストーリーが進むにつれて主人公の内面の悪魔はどのように表れるか。

◆プロットポイント1の前に伏線で何を示すか。

プロットポイント1で何が起きるか。
◆プロットポイント1は適切な位置にあるか。
◆プロットポイント1は主人公をどう変えるか。
◆主人公に新たに生まれる必要性／旅は何か。
◆その必要性の裏で何が危機に晒されるか。
◆主人公に反対するものは何か。
◆敵対勢力は何を失うことを恐れているか。
◆この時点で読者はなぜ主人公に共感するか。
◆主人公は敵対勢力に対してどう反応するか。

ミッドポイントはストーリーの流れをどう変えるか。
◆ミッドポイントで主人公や読者に新情報をどう提示するか。
◆それはストーリーの流れをどう変えるか。
◆ドラマ的なテンションやペースはどう上がるか。
◆主人公はどう前進するか、あるいは攻撃するか。
◆この攻撃に対し、敵対勢力はどう反応するか。
◆主人公の内面の悪魔は攻撃にどう影響を及ぼすか。
◆プロットポイント2の直前、希望を失くして小休止する場面はあるか。

プロットポイント2で何が起きるか。
◆その出来事は主人公をどのように積極的な態度に変えるか？
◆主人公はどのように主導権を握って問題解決に向かうか。
◆その役割は主人公の望みをどう満たすか。
◆主人公の内面の悪魔の克服はどう表れるか。
◆ストーリーの中で設定した危機はどう決着するか。誰が何を勝ち取るか。誰が負け、何を失うか。
◆ストーリーの結末で読者はどんな感情を体験するか。

四部構成の流れに沿って四つのコア要素（コンセプト／テーマ／人物／構成）をチェックする形になっている。残る二つの要素（シーンと文体）は自分のセンスを発揮してほしい。

40 ストーリー作りで最も大切な六つの言葉

出版を目指す時に大事にしてほしい六つの言葉がある。コンセプトの発想に役立ち、六つのコア要素を支える言葉でもある。

歌手を目指す人がまず音程をつかみ、歌い方を練習するのに似ている。

もっといい例え方をしよう

六つの言葉はスポーツの基礎能力に当たる。

足を鍛えねばならない種目は走りを競うもの以外にもある。バスケットボールやテニス、野球、サッカー、ラグビーがそうだ。

走り方を覚え、それから競技をマスターする。

走りがうまくなれば競技もうまくなる。

六つの言葉は能力、才能だ。六つのコア要素と共に磨けばストーリーを書く力が向上する。

覚えることはたくさんある

ストーリー作りは簡単ではない。アメフト選手が「NFL入りなんて簡単さ」と言わないのと同じだ。

プロの選手は基本練習を怠らない。ビデオを見て研究し、パーソナルコーチを雇い、基礎能力を強化して結果を出す。

六つの言葉は試合に必要な基礎能力だ。どんなストーリーを書く時も覚えておこう。

ストーリー作りで最も大事な六つの言葉

六つの言葉はクオリティを指す。文体やスタイルなどの表現面は一概に評価できないため省いている。

出版の可否は文体や語り口では決まらない（逆に不採用の原因になる）。ストーリーの力で決まるのだ。では、始めよう。

魅力

そのストーリーに関心をもつ人はいるか。フック（関心を引くもの）はあるか。感情や知性に訴えるか。読者にどんな問いを投げかけ、魅力的な答えを提示するか。

ヒーロー

主人公は大切だ。主人公に偉大で英雄的な面はあるか。どう偉大なのか。真のヒーローと呼べるか。読者は主人公の目的に共感できるか。主人公は何が大事で、何を失いたくないと思っているか。使命を果たすには何を克服すべきか。読者はなぜ主人公の目的に関心をもつのか。主人公の行動や手段のどんなところが英雄的か。

コンフリクト（葛藤、対立）

何も起きない物語が読みたい人はいない。本当だ。主人公の旅に反対するものは何だろう。敵対勢力（通常は悪者だが、悪人ばかりとは限らない）の目的は何か。敵対勢力にとって大事なもの、失いたくないものは何か。最も大事なこととして、コンフリクトがいかに物語にテンションを与えるか。

文脈

文脈はあって当たり前のものとされがちだ。ストーリーの文脈（サブテキスト。言葉の裏にある意味）は何か。どんな過去が影響しているか。文脈からコンフリクトがどう浮かび上がるか。人物の発言や行動、決断は何に影響を受けてなされるか。ストーリー全体の文脈にテーマはどう表れるか。

これらはとても高度な問いだ。マスターすれば書店に著書が並ぶだろう。文脈とドラマ的テンション（同じ意味で使われやすいがやや違う）がシーンをよいものにする。

構造

繰り返しになるがまた述べる。設定はうまく展開できているか。設定の後、主人公の新しい旅が適切な位置とペースで始まるか。その旅は主人公の感覚を通して描かれているか。発言や行動は以後の流れにどう影響するか。状況説明とドラマ的テンションに変化やサプライズ、緩急はあるか。

解決

読者が充分に感情を体験できる終わり方をしているか。辻褄は合うか。読後に余韻を残すか。感情移入できる主人公／豊かで魅力的なコンセプト／全体を貫くテーマ／結末に向けての巧みな文章の運びがあってこそ、よいエンディングが書ける。

これら六つのクオリティを意識しよう。才能に限界はない。どんな夢も実現可能だ。六粒の魔法の薬。六つのコア要素と共に、同時に呑み込んでほしい。

41 アウトラインを作るかどうか

作家の世界は二党政治に近い。左派は心のままに書く。右派はアウトラインを敷いて書く。中間をいく少数派も入れるとストーリーを書く脳の働きが見渡せる。極右と極左は互いに疎遠だが、論争は続く。

「心のままに書く」派はアウトラインが自由と創造性を奪うと言う。「人物に歩ませろ。人物の声を聞けば物語ができる」と訴える。

「アウトライン」派は「そんなのあり得ない」と反論する。

これほどはっきり派閥が分かれるのも珍しい。アウトライン派が「結末も決めずに伏線が張れるのか」と言えば「最初から全部を決めたくない。それなら塗り絵と一緒だ。違う絵が描きたくなる時だってある」と反論が返ってくる。

どちらの発言に対しても「それはできない」と言える。書く前に構造の原則が頭に入っていなければ無理だ。そして、どこかの時点でバランスを取らねばならない。

そうして初めてアウトラインの有無に関わらずストーリーが書けるようになる。

アウトラインを作るかどうかは問題ではない

書き手が構造を意識できているかが問題だ。

構造がなければストーリーはごちゃごちゃになり、ペースも悪くなる。ストーリーは構造を得ると潤滑油を得たマシンのように動き出す。あとはストーリーに魅力があればいい。

アイデアや文章表現の問題は構造やアウトラインでは直せない。工学と芸術とは別物だ。

ストーリーの基盤

「心のままに書く」派は認めたがらないが、うまくできたストーリーには基本的な構造があり、転換点が適切に配置されている。自由に書いて成功する人たちはそれを理解して書いている。

それがわからないままアウトラインを作っても構成が不備な原稿が仕上がるだけだ。早く書き上げられるかもしれないが、出版社が求めるレベルに達しない。

順序と理由がわからなければ、どんな議論も意味がない。

判決

ストーリーの構造を理解すれば力がつく。いや、必要なことなのだ。

物語を広げるだけではどこへも到達できない。アウトラインを作るか否かは関係ない。構造を根底から作るべきだ。どんなふうに書こうとそれは変わらない。構造ができれば広げていける。適切なペースでまとめられる。

過程は自由だが、完成形に到達させるには構造原理の理解が必要だ。

アウトラインを作るかどうかは人それぞれ。構造は必要。議論はこれで終わりだ。

第6章
コア要素　その5
シーンの展開

42 シーンとは結局何なのか

これまでストーリー作りの理論と基準、要素について述べてきた。アイデアと原則を編み合わせる方法も紹介した。ストーリーは建物のように設計図で表せる。設計図なしにダンプカーで現場に来る人はいない。設計には図面や測量、配管配電から販売用のパンフレット作りまでが含まれる。強度を入念にチェックしてから建てる作業に入る。

すべてを確認するまで釘一本打たない。

いずれ空き地に穴を掘り、コンクリートを流し込み、壁を立てる時が来る。壁ができたらペンキの色やタイルの種類を選ぶ。つまり、塗装やタイルは文体に当たる。目指す構造美を思い浮かべつつ、重みに耐える基礎を作ろう。

書き手はいわば建築家だ。設計図を描いた後に基礎工事や配管、電気配線、屋根、トラック、内装、塗装、カーペット、設備業者を投入し、完成品を不動産業者に持ち込む。

設計したものを形にする道具はただ一つ。それがシーンだ。書きたいアイデアや言葉が山ほどあっても、シーンを作らなければ意味をなさない。シーンがストーリーを作り上げる。「言葉を道具にするんじゃないの？」と思うだろうが、言葉は基礎の上に塗る塗料のようなものだ。コンセプトや人物設定、テーマが弱ければ、いくら文章がうまくてもだめだ。書き手はまず基礎の設計士であり、なおかつ言葉の職人でもあるべきだ。

ストーリーはシーンの集合体

長いストーリー（小説だけでなくシナリオや回顧録、ノンフィクションも含む）はドラマ的に連続したシーンが集まってできている。つなぎの部分を挟むこともあるが、たいていのシナリオや小説は四十〜七十シーンほどで成り立つ。一つひとつのシーンは「始まり、真ん中、終わり」でできている。終わりの部分で次に向かう記述をし、テンションを高める。「読みだしたら止まらない」と言わせる本はそういう書き方をしている。

シーンにはドラマチックな危機感が必要だ。その意味でシーンはストーリーの縮図と言える。シーンにも構成はあるが、「こうなった」という結果を見せることが重要だ。ストーリーを効果的に展開すべく、丁寧に計画しよう。シーン自体のインパクトや躍動感も大事にしたい。

四つの要素（コンセプト／人物／テーマ／構成）がよくても、シーンの構築がまずければ原稿は採用されない。だから僕は「シーン展開」を六つのコア要素に入れている。

シーン展開は実戦だ

スポーツキャスターはトークをするが実戦はしない。

これまでの内容は試合分析のトークと似ていたが、シーン展開は実戦だ。勝つためにはルールや基礎の理解と共にプロ並みの実戦力が必要だ。

文章力がある人が優勝するとは限らない。度胸と粘り強さ、知識や経験があり、もてる力を最大限に出せる人が勝つ。向上心ある努力家だ。作品のよさも作家としてのキャリアもシーンで決まる。構成や内容、シーンの文脈をしっかり作れば、文章表現は後で磨ける。出版が決まった後で編集者がチェックするのも細かい文章表現の部分だ。必要に応じて書き直しも提案されるだろう。

だが、シーンがうまく運んでいなければ、文章以前の問題としてアウトだ。

シーンは何でできているか

シーンとはドラマ的なアクションや状況説明（筋の振り返りや要約、つなぎ）がまとまって書かれたもので、同一の場所と時間枠の中で展開する。時間や日付が切り替わればシーンも切り替わる。時間の切り替わりが目立たない書き方をしていても同様だ。

ストーリーが壁ならシーンは煉瓦。ストーリーが階段ならシーンはその一段一段。ストーリーが歌ならシーンは歌詞に当たる。

ワンシーンを一つの章としてもいい。または複数のシーンを一つの章としてもいい。全七十八章の本が七十八シーンになる場合もあれば、百七十八シーンになる場合もある。シーンが多いと状況説明のビジュアルがこまめに出てくる形になるだろう。どうすればいいという決まりはない。書き手が自由に選べるだけに、その人の技術のレベルが表れる。

複数のシーンを同じ章に入れるなら、場所や時間の切り替わりで一行空けてもいい。もちろん、章が変われればシーンも新たになる。

簡潔な文をつなぎにしてもいい。例文を挙げる。


頼まれたとおりに事を済ませると、彼はさっさと屋敷を出て車に乗り込んだ。

十分ほど走ると、かつて妻と住んでいた家が見えた。留守であってくれと願った。家の前に妻の車が停めてある。去年買ったものだが、こうして初めて離婚後に見ると心が沈む。小包を戸口に置くつもりでいたが、スピードを上げて通り過ぎたくなった。


行を空けずに次のシーンに移っているが、時間と場所の変わり目がわかる。二つのシーンを連続して読む形だ。

では、同じ内容を、今度は一行空けて書いてみよう。

頼まれたとおりに事を済ませると、彼はさっさと屋敷を出て車に乗り込んだ。あと一つだけ用事を済ませればすべて終わる。

以前住んでいた町への角を曲がると、かつては彼の自宅でもあった家の前に妻の車が停まっているのが見えた。一年前に買ったものだが、離婚後に初めて見た途端に心が沈んだ。小包を戸口に置くつもりでいたが、スピードを上げて通り過ぎたくなった。


後の例の方がやや説明が多い。行を空けると次のシーンへの導入が必要だからだ。

どちらの例も映画のカット割りのようになっている。ストーリーのシーンとはこのようなものだ。

実際は例文よりも充実した会話文やサブテキスト、人物描写があり、ストーリーを紐解いていく。

どちらの例もシーン展開の原則に従っている。六つのコア要素の中でも最もパワフルな原則だ。

しくじるとストーリー全体に影響が及ぶ。

43 シーンの機能を知ろう

シーンにはそれぞれ果たすべき責務がある。どう展開するかは書き手次第だ。自分にかかる責任の重さを感じずにはいられない。

ここでトップクラスの作家は他を引き離す。シーンの目的と機能には二つの側面がある。一つは学校で習い、逆に足枷になっているもの。もう一つは今までで最もパワフルなアドバイス。複雑ではないが「でも複雑なんでしょう?」と言いたくなる内容だ。これから紹介しよう。

使命を重視したシーンの書き方

人物が部屋で座っているシーンなら、部屋や人物の服装を描写するだろう。どんな椅子に座り、初冬の空にどんな雲が見え、室内の暖房がどう心地よいか書くかもしれない。アメリカの画家ノーマン・ロックウェルの絵のように、ジョイス・キャロル・オーツの小説のように視覚的な描写が続く。その場のにおいまで感じるほどに描いてシーンを終える。

それだとストーリー面では大失敗だ。作品の中で二度繰り返せば編集者は原稿を投げ捨てる。

どのシーンでも必ずストーリーを進展させること。シーンが場所や人物の描写だけなら（決断も行動もせず、変化もなく、何も進展しなければ）基本原則に反している。

シーンの使命は物語を動かすことだ。細かな風景描写もいいが、単なるスナップ写真のようでは困る。

秘密のテクニックを教えよう。一つのシーンに一つだけ、進展情報を入れること。読者が満足できる、重要な進展をさせること。

少ないほどいい。ワンシーンで二度も爆弾が爆発すると多過ぎる。ネズミ捕りの罠のかすかな音でさえ一度で足りる。ディテールの書き方は自由だが、この原則をもとに慎重に行おう。

スリラー小説作家ジェームズ・パターソンはこの原則に忠実なことで知られる。シーンごとにエネルギッシュな新展開を一つ入れて章にする。彼の作品は百シーンを超えることも多く、一シーンがたった一ページの時もある。彼のスタイルが商業フィクションのトレンドを作ったほどだ。読者にとってストーリーが追いやすく、読みやすい。

自分の作品をどうするかは自由だ。

長めに描いて読者に体感させてもいいし、簡潔に情報提示してもいい。

シーンを早めに始めると

もう少しシーンの使命の話をしよう。設定から情報提示への運び方が大事だからだ。シーンの展開の仕方は使命によって決まる。読者をじらしたり、引き込んだりする書き方をするには、そのシーンを書く理由と意味を考えよう。

映画『明日に向かって撃て！』（一九六九）、『大統領の陰謀』（一九七六）の脚本家でアカデミー賞受賞者のウィリアム・ゴールドマンは「シーンは極力、後から始める」と述べている。この手法は「深いカット（cutting deep into the scene）」と呼ばれ、ペースを飛躍的に上げる。だが、シーンの使命を知って使わねばならない。

なぜなら「深いカット」をせずにディテールを重ね、ゆっくりとテンションを高めたいシーンもあるからだ。そこでシーンの使命を考える必要が生まれる。

シーンで「婚約破棄」を描く時、主人公が相手の家の前に着いてから徐々に気まずい会話を始め……というふうに引っ張ると陳腐になりかねない。シーンの初めから別れの言葉と相手の激怒を描くとテンポが上がる。

それとは逆に、クエンティン・タランティーノは映画『イングロリアス・バスターズ』（二〇〇九）の初めでどぎついシーンを九分間も展開している（これがクリストフ・ヴァルツにアカデミー賞助演男優賞をもたらしたとも言われる）。映画『トゥルー・ロマンス』（一九九三）のクリストファー・ウォーケンとデニス・ホッパーの長い尋問シーンもいまだに語り草だ。ドラマ的な緊迫感が高く、台詞もいい。どちらのシーンも物語の進展を一つ提示している。それだけなら三十秒程度で足りるが、タランティーノは観客に感情移入させ、固唾を呑ませるのがシーンの使命と考えた。そこでディテールをたっぷり描き、シーンに層を加えているのだ。

だが、そうしたシーンを増やし過ぎては逆効果だ。転換点、特にミッドポイントならいいだろう。その他のシーンはすばやく要点に切り込み、テンポを上げる。

読者に何を体験してもらうかも考えよう。くどい説明はテンポを落とす。本来ならたった一つの新情報以外は不要のはずだ。読者に提示したい情報が複数あれば風景と時間を切り替え、新たなシーンを立てよう。同じ状況を二つのシーンに分けて描いてもいい。

以上のことを意識して、シーンの効果を最大限に引き出そう。緊迫感や期待、恐怖、刺激や共感を持たせると共に、臨場感も出してほしい。

それがシーンの機能のもう一つの側面に相当する。

物語の風景としてのシーン

設定はストーリーとは違う。ストーリーはアクションと物事の提示で成立する。だが、時代や地理、文化などの設定は共感を呼ぶストーリー作りに不可欠だ。物語が香港の街で展開するなら、路地裏から魚の臭いが漂う雰囲気を伝えよう。その描写がシーンの中心にならないよう配慮する。

他の描写がストーリー全体で発展できているかも見てほしい。物語の初めと終わりでシーンの見え方、趣きは異なるかもしれない。

一つのシーンは一つの場所で展開し、ミクロとマクロの環境がある。その中でストーリーと密に関係し、ストーリーの理解に役立つ部分だけを読者に印象づけるべきだ。余計な部分まで丁寧に描き込んでいる例は本になった作品にも見受けられる。曇り空や通りすがりの郵便配達員の制服などのポエムのような描写は要らない。視覚的な描写は控えめな方が多くを語る。

忙しく働く肉屋が「朝には純白だったエプロンが血まみれだ」というのは当たり前だ。わざわざ書くと読者を見くびっていることになる。特別な意味やニュアンスを伝えたい時か、物語の展開上必要な時だけ書くべきだ。

その肉屋が主人公で、店に登場する最初のシーンで、彼の仕事の意味を伝えたいなら（包丁に思い入れがあるなど）エプロンや場の描写をしてもいいだろう。物語が進み、何度も店の場面が出た頃には、もうディテールは必要ない。

どこでどうディテールを描くかは柔軟に判断しよう。

シーンの中での人物描写

シーンには人物の描写も必要だ。すでに描いた内容を繰り返す時もあるだろう。人物描写が行動、状況説明と共に展開すれば、三つの輪が揃って駆動する。

特にストーリーの初めは人物描写が主になる。「人物のある側面を見せること」がシーンの使命になるわけだ。「シーンでは必ず何かを提示する」という原則にも合う。ただし、漫然と人物描写に終始するシーンは編集者から削除を提案されるだろう。

ストーリーは常に動かそう。過去の背景を説明する回想シーンも例外ではない。

ストーリーは設定や人物描写では動かない。物事が進展する描写が必要だ。

ディテールやバックストーリー、心象風景はどこでも描けるが、特にストーリーの初めに入れるといいだろう。繰り返すとくどくなるので後のシーンでは控える。

ネルソン・デミルは『獅子の血戦』(講談社文庫、白石朗訳)の冒頭のフックで細かな人物描写をしている。彼の作品はプロットとテーマが強みであると同時に、人物と語り口に負うところも大きい(物語はシリアスだが、ヒーローはマッチョで頭がいい)。

主人公ジョン・コーリーはアメリカの連邦捜査官。その日はFBI捜査官が運転するクルマでニューヨークを回っている。二人でしゃれた会話をしながら、テロリストの疑いがある人物を尾行中。これがフックだ。読者は最初のページで主人公の旅に興味を抱く。作者デミルはシーンの使命を二つ念頭に置き、最初の二シーン(二十三ページ程度)を書いている。

最初のシーン(第一章)の使命は「コーリーは敵のことを考えずにはいられない」と伝えることだ。それは最後の段落まで読んで初めてわかる。敵とは「獅子」と呼ばれる殺人マシーン。コーリーは小悪党を追う時もずっと彼のことを考えている。第二の使命は人物紹介で、当然、シーンになくてはならないものだ。この作品のオープニングシーンでは状況説明以上に力を入れている。

次のシーンでコーリーはアトランティックシティの小規模テロリストを追い、カジノの洗面所で不意討ちして病院送りにする。このシーンの使命は「主人公の人物像を示す」ことだ。テロを許さぬ凄腕の男で、目的のためなら暴力も使う。その性格が彼のアクションで表現されている。

どちらのシーンも明確な使命のもとに書かれている。使命を考えない作家は上っ面だけの文章しか書けないが、この作品は全く違う。最初のシーンはイラン人紳士を尾行する以外アクションがなく、メインの敵の紹介に徹している。シーンの使命として妥当だし、ストーリーの情報も提供されている。次のシーンはカジノでの強硬手段を読者に示し、意味を感じさせることが使命。すべて作者の意図だ。

それ以降の章は状況提示が続くが、どのシーンも使命が明確だ。世に出た小説やシナリオはみなそうだ。自分でも意識して書くようにすれば、他人の作品からも読み取れるようになる。

カット・アンド・スラスト・テクニック

「一気読み」させるほどの小説は誰しも書きたい。シナリオなら観客を釘付けにする作品だ。構成も大事だが、シーンにもコツがある。読者の期待を煽って次のシーンにつなげるために、シーンの終わりで一つの問いを出せばいい。答えが知りたくなる問いだ。

これを「カット・アンド・スラスト・テクニック」と呼ぶ（僕は出版エージェントから初めて聞いた。出どころはわからない）。シーンか章の最終段落か、最後の一行で何か新しいこと、意外で魅了的な何かを提示して驚かせる。それがシーンの結論（または解決）になるかどうかは場合によるが、「どういう意味で、何が起きるか」に的が絞られると読者は続きを読まずにいられない。

良質のスリラーやミステリーはすべてのシーンがこのパターンで終わる。僕の小説『Whisper of the Seventh Thunder（七度目の雷の囁き）』でも多くのシーンで用いている。シーンの終わりの部分だけを抜粋しよう。

◆彼はローレンのために書くだろう。神への冒瀆の報いを受けた彼女の思い出に敬意を払って。
◆ローレンは彼を連れて洞窟から出た。岩肌のアーチを抜けた頃には、二人が見たものは現実ではなかったとわかるだろう。
◆もしも、と声が囁いた。ローレンが正しかったとしたら？
◆最後の言葉は「あなたを大スターにするわ、ガブリエル・ストーン。人生のすべてが変わる」。
◆かすかな笑みが消え、表情の奥に強い関心が見えた。
◆彼の仮説が今夜試される。
◆「ガブリエル・ストーンに自覚はないかもね。でも、二千年以上も前に神がそう思し召したのよ」。
◆彼女は微笑んでいた。自分だけが何かを知っているかのように。
◆席に戻るとＮＳＡのサラ・メイヤーズ担当官はもういなかった。飲み干されたカップの下にメモが残されていた。
◆彼は鉄柵にもたれて携帯電話で話すふりをして、目の前を通り過ぎるリムジンをガラスの反射でチェックした。

◆コロンビア・センター計画は予定通り進んでいるようだ。

◆電話回線が途切れた。

◆ラーセンは名前を知っていた。もう見つけていたのだ。明日の今頃にはガブリエル・ストーンは死んでいるだろう。

◆暗闇に戻って身をかがめると、誰かの声が聞こえた。自力でどうやって逃げたんだろう、と言っていた。

◆彼はガブリエル・ストーンを自分で始末するのだ。面と向かって。

◆脳天に弾丸を撃ち込んで解決せねばならない時もある。

◆辺りが暗くなる。ガブリエルは服を脱ぎながらポケットを探り、短縮ダイヤルがつながるようにと祈った。

◆「ここを出なければ」と彼女は言った。「今すぐ」。

◆彼女は振り返り、潤んだ瞳で彼を見た。「ねえ、私もあなたに聞きたいことがあるの」。

◆邪悪な舌が首筋を這うような気がして、彼は身震いした。

◆ガブリエルには顔も服装も見覚えがあった。彼が睨むと、図書館にいた黒髪の女が言った。「こんにちは、ガブリエル」。女は微笑み、銃を目の高さに上げた。

◆生きて真実を語る者はこの部屋にいる男たち以外にいないだろう。

◆だがサラはいなくなっていた。ノートパソコンとＤＶＤもなかった。

◆すると、彼の耳に天使の声が聞こえた。
◆サイモン・ウィンガーは目を閉じ、こめかみに拳銃を当てると引き金を引いた。
◆シャーロット・ブレナーは部屋の反対側で豪華な椅子に腰かけ、指先を合わせて微笑んだ。
◆だが、シャーロット・ブレナーは姿を消していた。
◆彼は銃を構え、ダニエル・ラーセンの胸に弾を撃ち込んだ。

このテクニックを使うには、そのシーンと続きのシーン両方の使命をはっきりさせること。そうしなければ効果は得られない。

商業的なフィクションと「文学」のシーン

文学にはあらゆる書きものが含まれるが、質が問われる。文学は商業的なフィクションより優れていて価値が高いとみなされがちだ。

だが、そうとも限らない。『白鯨』を読んだ人ならわかるだろう。伝説の鯨の話が退屈な言葉で延々と語られる。何が優れているかは意見が分かれるが、読むべき本を決めるのはたいてい、プロのお堅い評論家たちだ。

文学か商業フィクションか、書き手が自分で選べないこともない。名実ともにホームラン級の『ミスティック・リバー』と『シャッターー・アイランド』を書いたデニス・ルヘインは歴史小説『運命の日』（ハヤカワ・ミステリ文庫、加賀山卓朗訳）で文学的なスタイルをとった。この本の売り上げは彼の他の作品に遠く及ばなかったが、それは問題ではない。重要なのは文学と商業小説の違いだ。それはシーンの作りにある。

文学系にも商業系にもプロットがある。文学小説やアート映画では見えにくいが、筋らしきものは存在する。プロットとは対立関係であり、対立関係が人物のあり方を示す。ただ、文学と商業フィクションとでは強調の仕方が違う。

大学教授や評論家が文学と呼ぶ作品ではシーンの焦点を人物描写に絞り、ストーリー展開がほとんどなくてもかまわない。主人公の目的や障害が曖昧なものもある。商業的なフィクションとは真逆だ。文学作品でもプロットはいつか動き出すが、それまで待てるのは真の文学ファンだけだ。僕は善悪や優劣を説いているのではない。違いを探っているだけだ。ルヘインのように両方できれば、あとはマーケティング戦略次第だ。商業的なマネーは常に純文学から遠ざかる。

何のためにシーンを書くかも含め、常に自分で選択すべきだ。

44 シーンのためのチェックリスト

計画を立てずに書けばシーンの構築も難しい。次のシーンの内容も全体の中での位置づけも知らずに書くのは、何階建てにするかも知らずに階段を作ろうとするようなものだ。全体像を見ない危険さに加え、シーンの使命を知らずに書く不毛さも知るべきだ。

無駄な状況説明を省くために、シーンのスイートスポットを知っておこう。使命と共にシーンの終わり方も含めてミクロの構成を考える。続きのシーンも同じように把握すると、ようやくカット・アンド・スラスト式の移行が可能になる。

書きたいシーンを熟知するためのチェック項目を挙げておく。書きかけのシーンで迷っている時も参照にしてほしい。

◆そのシーンの使命は何か。

◆そのシーンで主に読者はどんな提示を受け取るか。

◆提示された情報はストーリーを前に進めるか。どのように進めるか。
◆その情報を出す前に伏線、または前のシーンでのセットアップは必要か。
◆その情報がアクションや会話、文脈で提示されるのはシーンの中のどの瞬間か。
◆その情報もドラマ的な展開も損なわずにシーンの始まりを極限まで削るとしたら、スタートはどこになるか。
◆そのシーンは独自のテンションや危機感、流れをもち、一つの短編ストーリーのようになっているか。
◆そのシーンを読み、読者は何を体験するか（感覚、理解、説明、感情）。
◆ストーリーに関する物事に対し、シーンの中でどれぐらい期待がそそられているか。驚きの展開をする場合、どのように読者を誘導しているか。
◆シーンの中で人物をどう表現しているか。シーンの使命は人物のある側面を見せることか、それとも新情報を提示して人物の反応や対処を見せることか。
◆そのシーンは効率的か。使命の達成に向けてスムーズに流れているか。無駄に時間稼ぎをしていないか。
◆シーンの使命はストーリーラインに沿っているか。脇道にそれていないか。当初は自分で面白いと感じても、編集者に「ストーリーとどう関係があるの？」と疑問視されないか（面白さよりもストーリーの流れが重要だ）。
◆そのシーンはカット・アンド・スラストで終わっているか。シーンのつなぎは次のシーンの使命と文脈に沿っているか。その前の部分の推移の仕方と合っているか。
◆その章に複数のシーンがある場合、間で一行空けてあるか。空けない場合、シーンの切り替わりは明確でスムーズか。
◆シーンの最初に何か気が利いたもの、びっくりするもの、面白いものがあるか。不要な状況説明および場所や人物の外見、環境の描写がないか。

これらを考えるとシーンが引き締まり、全体のペースやスタイル性も向上する。壁を作る煉瓦のように、各シーンは置かれた場所で役目を果たす。目立たせたいシーンがあれば読者に向けて積極的にアピールしよう。ただし全体のバランスに注意すること。

シーンの内容を把握してからのびのび書こう。多くの話題や装飾を入れ過ぎないようにする。シーンを大切にすれば大きな見返りが得られるだろう。

第7章
コア要素 その6
文体

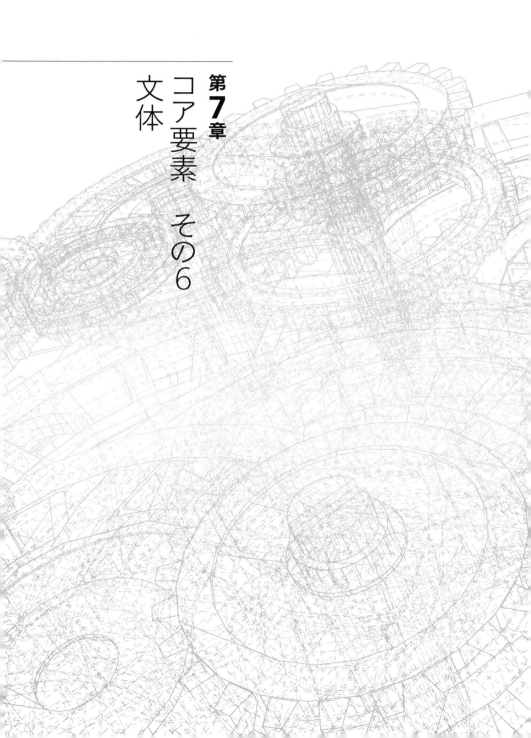

45 自分の声を見つけよう

「語り過ぎ」はビギナーの原稿に最も多い。ストーリーがよくても書き方で却下、落選の憂き目を見る。形容詞だらけで頑張り過ぎ、自意識過剰な語り口や、詩的な言い回しでストーリーが霞んでいるケースが多い。

ごてごてのピエロの衣装ではアカデミー賞授賞式に入れてはもらえない。

それも個性と言えなくはない。華やかさこそ美とパワーだと思う人もいる。書き手も編集者も読者も自分の意見をもっている。その意見が大切だ。

出版社に持ち込まれる原稿の山を見るといい。あざとい書き方で詩人を気取るもの、有名作家の文体を真似たもの（英語圏ではJ・D・サリンジャーだ）。まるで効果のない表現が陳腐な世界を繰り広げる。

文体の悪さはご都合主義の結末よりも悪い評価を食らう。

文体の個性自体は悪くない。僕の文体にも癖がある。それは僕がプロとして数十年間失敗を重ねて培ってきたものだ。個性の追求には常にリスクが伴う。

少ないほど多くを語る。極端に減らし過ぎなければ大丈夫だ。酔いどれ詩人の恋文とドライな技術文書の中間あたりで、自分らしい書き方を見つけよう。もちろん、ストーリーに合うものを。

それもまた、作家としての旅だ。

文章の「声」と呼ばれるもの

文体は六つのコア要素の一つで、プロデビュー前に確立すべきものだ。ここでの「プロ」には重要な意味がある。どんな文体であれ、プロの域に達していなくてはならない。

好みや意見は人それぞれだが、確実に言えることが一つある。それは、安全な中間層から遠ざかるほど素人っぽく見える危険性が高まるということだ。

巻のセミナーではストーリーの作り方より文体を取り沙汰する時間が長過ぎると僕は感じている。実は、文体は「出版の夢を叶える六つのコア要素」の中で最も難易度が低い。

文豪のように書かなくていい。書店に並ぶ本を見ればわかる。いろいろな文体のスタイルがあるが、出版社に認められたものには共通点がある。プロの規格に合格しているのだ。今の市場では無駄がなく歯切れのよい語り口が支持される。

歌手だってデビューした人々がみな美声とは限らない。かすれ声、ガラガラ声の歌手もいる。だが、勝手に音程を外して曲を台無しにする歌手はいない。

アダム・ランバートは独自の情緒を加えてアメリカ国歌を歌う。いい声だが、野球場を埋める群衆には甘過ぎるかもしれない。

「声」の香りの基準点

文体は香りと同様、好みが分かれる。韓国ではおいしそうな香りでも、アメリカの州によっては全くうけないかもしれない。だが、風のように無香で爽やかなものはどこに行っても好まれる。

少ないほど際立つ。個性やユーモア、エッジを出そうとすればするほど、そう言える。

文体のスタイルを意識して書くのは危険だ。その文体で人気や評価を得ようとする下心があるからだ。ダン・ブラウンやジョン・グリシャム、ステファニー・メイヤー、ジェームズ・パターソンらのベストセラー作家をはじめ多くのプロは安全牌をとって簡素な文体で書いている。それを「個性がない」と評価するのは不当だ。シンプルに書こう。何も香らない、におわない、新鮮な風のように。心地よく流れる、読みやすい文体で。

少なくとも、それがプロの文章だ。

個性は無理に作るものではない。自分にとって自然な文体を見つけるには何年もかかるかもしれない。だが、それが見つかれば自信がもてる。素直に書けば（エルモア・レナードは『10 Rules of Writing（文章の10のルール［未邦訳］）』で形容詞をすべて削除しろと勧めている）ほのかな香りがすこやかに立ち上り、買い手を引きつける。

スリラー作家コリン・ハリソンは米国内で「詩人文学」と評されているが、シェイクスピアのような言葉の芸術という意味ではない。ストーリーテラーのゴールはトーンと姿勢を通して本質を語ることだ。その点でコリン・ハリソンは傑出している。

ハリソンの『マンハッタン夜想曲』の最初の段落を紹介しよう。

> 私は、騒乱、スキャンダル、殺人、破滅を売る。なんと私の売り物は悲劇や復讐や混沌や悲運なのだ。私は貧乏人の苦渋と金持ちの虚栄を売る。窓からおちる子ども、火につつまれた地下鉄、暗闇に逃げこむレイプ犯を。怒りと償いを売る。たくましい消防夫の果敢な活躍を、ギャングのボスの見ぐるしい強欲を売る。ごみの悪臭、黄金のひびきを売る。黒人を白人に、白人に黒人を売りつける。民主党員に、共和党員に、自由党員に、イスラム教徒に、女装のゲイに、ロワー・イーストサイドのビルの不法居住者に売る。これまでにもマフィアのボスのジョン・ゴッチとO・J・シンプソンと世界貿易センターの爆破犯を売ったし、つぎになにがあらわれようと、私はそいつを売ることだろう。嘘を売り、あやしげな真実を売り、両者の中間のあらゆる段階を売る。新生児も死者も売る。悲惨にして壮麗な街ニューヨークをそこの住民に売りつける。私は新聞を売る。

形容詞は二つの文に二つずつ、合計わずか四ヵ所だ。それでいて、姿勢と個性が強烈に表れている。ダークな都会の刑事スリラーにふさわしい高揚感と旋律を感じさせる文体だ。熟練した書き手だけに可能な文章だ。これを手本に、個性を出そうとして失敗する落とし穴から抜け出そう。

ただし、誰かの真似だけはしないこと。編集者は敏感に嗅ぎ分ける。

言葉を増やしたい時ほど注意しよう。いろいろな書き方を試して感想を聞こう。その過程で文体が自然に変わるにまかせ、自分の中で最高レベルに磨き上げる。

作家を目指す人は今まで「文章がうまい」と褒められたことがあるだろう。それが逆に足枷になる。言葉の表現に支配されないよう心がければ大丈夫だ。

小説や、特にシナリオは文体のよさで売れるわけではない。文体が却下の原因になり得る。ストーリーを伝えることが重要だ。文体も含め六つのコア要素をバランスよくマスターしてほしい。

会話文の「声」

編集者は会話文の文体も評価する。

自然に書ける人もいるが、小学生の劇かと思うような台詞を平気で書く人もいる。

会話文の書き方は習って伸ばせるものではないが、センスを磨くことはできる。耳を使うのだ。人々の会話を聞く耳があれば、ストーリーに生かせる。

リアリティとしての会話

ビギナーは会話文にリアリティを与えるのに苦労する。

文法や言い回しの正しさは忘れよう。人はそんなしゃべり方をしない。

特定の言葉を短くはしょって話す人もいる。半分ほど言いかけるだけで意味を伝え合う。間接的な言い方をする人もいれば、用事をもち出して言外の意味を伝える人もいる。

会話文は年齢や文化、地域、人間関係や話題によっても変わる。白人富裕層の脚本家マイク・リッチが『小説家を見つけたら』(二〇〇〇)のシナリオを書いた時、台詞が主人公の背景に合わないと酷評され、別のライターに書き直された。確かにリッチはコカイン吸引パイプなど見たこともなさそうな白人だ。だが、彼は登場人物の内面に入り込み、どう話すかを想像して台詞を書いた。リッチは最善を尽くしたと胸を張って述べている。台詞のリアリティについて、脚本家は俳優や監督より負うところが大きい。

次に挙げる二つの会話文は同じ場面のものだ。一つは新人に多い例、もう一つはリアルな人々の話し方を反映した例だ。誰もが不自然な言い回しを避けようとはするが、書き手の視点と意識が露わになるから難しい。自意識を捨て、リアルさを追求せねばならない。

では次の、バスケットボールの試合のハーフタイムでの会話を見てほしい。ある男が同級生とばったり出会う。卒業以来、久しぶりの再会だ。

「ああ、驚いたな、君は元気かい?」「元気だよ。君は?」

「まあまあさ。君は……羽振りがよさそうだね」「まあね。君は?」

「おかげ様で。あれからどれぐらい経つんだろう……一年ぐらいかな?」「三年になるよ。君は結婚したかい？」

「婚約中さ。君は？」

「離婚したよ。まあ、人生、そういうこともあるさ」

なんともへたくそな台詞だ。書き手が悪いわけではなく、編集すればするほどこうなる。会話に耳を傾けないから、リアルな空気感やエッジが出ない。

こちらの方がよいだろう。


「おう！」

「うわ、ここの偉い人かと思ったら」

「いいだろ、夢の暮らし」

「親父はドナルド・トランプです、ってか」

「あんな髪型してねえよ」

「はは。どれぐらいかな、一年？」

「かな？　三年。レブロン、まだドリブル練習してた。嫁さんは？」

「まさか。いまだに適当」

「そっか」

「まあな。そっちは？　指輪してないね」

「別れた。婚前契約書とかさ、やられたよ」
「大変だったな」
「いやいや。トランプの娘みたいな彼女とさ……今はいい感じ」

流行の会話スタイルで書けというのではない。ニュアンスや言外の意味で現実感を出してほしい。ベストの方法は人の会話を聞くことだ。また、読書や映画鑑賞の際も意識しよう。

直接的な表現は避ける。田舎のおばさんが物珍しそうに話すような口調では彩りも個性も出ない（そういう人物設定でない限り）。会話文は人物描写のチャンスだ。普通の表現で済ませるのはもったいない。

ストーリーは面白く、文体は素直に。だが、会話文はまた別だ。

46 僕が知る最高のたとえ

スポーツでは「コーチがついても速さは出せない」と言われる。アメフト選手が数百万ドルの契約を獲るかどうかは四十ヤードの全力疾走、コンマ一秒の差で決まる。

どの分野でも上に行くほど「悪い癖をとる」ことにコーチの目が向く。そうして本来の力が出るよう導く。プロのレベルに達さなければ入団テストも受けられない。

運動能力には遺伝の影響も大きい。すべてを兼ね備える者が成功し、伸びていく。足りないところは努力で補い、プロとして戦う。

一等賞を獲らなくてもチームに入れるが、それなりの技術と自分の居場所の確保が必要だ。

文才も生まれつきの才能だろうか。遺伝というより生まれもった知性や頭の回転の速さのようなものだろう。ただしスポーツ界とは全く違う面がある。

ベストセラー作家も基本的な知的能力では一般人と大差はない。だが、ストーリーテラーとして出した数字の面では誰よりも賢いと言える。

僕がこう述べるのも、文体はコーチできないからだ。音程の取り方や短距離走と同じで、悪い癖を自分で直してもらうのが一番だ。コーチングとはもてる力を最大限に出させることに尽きる。

まずは文章で説明し過ぎるのをやめよう。形容詞や副詞は減らす。よいと思う作品を読んで研究するほど道が拓ける。僕がこの本で伝えたいのはそういうことだ。冴えないアイデアやプロらしくない習慣、曖昧で不完全な理解、古びたテクニックを捨てる助けとして原則を使ってほしいからだ。ストーリーを最善の形で表現するために文章も磨き上げてほしい。

気が利いた文、笑わせる文、皮肉な文の書き方は教えられない。読者を深く考えさせたり、人生を新鮮な角度で描く文章の書き方も教えられない。セミナーはいつも人で一杯だが、結局、書くのは自分だ。

だが、一つ確かなことがある。向上心を捨てれば成長は止まる。プロデビュー前に「これ以上は無理だ」と宣言すれば道は閉ざされる。

人生みたいなものだ。

若い頃と今とは違う。将来の自分は今の自分とも違っているだろう。外見や健康状態、世界観や価値観も変わる。

年を取ると丸くなる。人生経験に学ぶからだ。丸さとは物事を受け入れることであり、物事に動じない強さでもある。

作家の仕事や情熱も年を経て変わる。優雅に、あるいは苦々しく、もしくは淡々とつまらなく年を重ねるかは自分次第だ。積極的になるほど多くが得られる。

文体を磨きたければ作家の世界に身を置こう。自分の文章も、人が書いた文章も読みまくろう。読者としてだけでなく同業者の目線でも読もう。活字も映画のフレームも、一つひとつを見逃さずに研究材料にしよう。

そして自分の本当の声に耳を傾けよう。それが最も大切だ。鍛えるには時間がかかる。筋肉と同じだ。見ても変化はわからないが、昔と比べれば強くなったことが実感できる。

それが文体というものだ。

最初はかすかな囁きだ。それが最後に誇り高く、何にも屈しない叫びになる。その声が自分の声だとわかったら、あとはそれに従えばいい。

ただし、残る五つのコア要素なしには、せっかくの声も届かない。

プロとして書くことはオール・オア・ナッシングだ。

47 文体についてさらに言おう

繰り返しになるのは承知だが、何度伝えても足りないから言おう。

僕らは作家だ。歌う曲を自分で書き、踊りを自分で振り付ける。建てたいものを自分で設計する。その点で作家は独特だ。作曲家や振付師は自分が演者にならなくて済む。脚本家や映画監督には役者や美術担当がいるし、設計士は現場に張りつく必要もない。

だが作家は言葉選びから振り付け、構造の設計まで一人で行う。ストーリーと文体をそれぞれ別々に、また一つのものとしてなされた評価も作家自身に向けられる。

文体は六つのコア要素の一つだ。

六つのうちのどれかが欠けても目標に到達できない。

だが文体には皮肉な面がある。文章を書きたい人は自分の声で表現したくてその道を目指す。それなのに、自分が最も好きな要素が業界入りの邪魔をするのだ。

説明しよう

編集者がストーリーの良し悪しを知るには数十ページ読まねばならないが、文体のリズムやメロディは二、三ページでわかる。そこで採用／不採用の判断がなされるわけだ。文章がうまく流れていればよしとされる。

文体で必要なのはそれだけ。それ以上の凝り方をすると評価が落ちる。詩人のように美しい文でなくていい。幾多の応募原稿の山をすり抜けられれば充分だ。

後はストーリーが運命を決める。文章がプロのレベルと認められれば、大きな穴がない限り大丈夫だ。

多くの人が言葉に神経を尖らせる

自分の文体ができあがっていないなら磨くべきだ。不器用さや臆病さを徹底的に排除しよう。だが、すでに述べた通り、文法や構文と違って文体は習えない。

文体は自力で勝ち取るものだ。発見し、伸ばしていくものだ。かすかなエネルギーや深み、人間性を感じさせる彩りやニュアンス、トーンを探すべきだ。

のびのびと、シンプルに、クリーンに。気取りのかけらもないように。完全に自分のものにしてほしい。

独自の文体を勝ち取る方法は一つしかない

才能は関係ない。

書くのみだ。集中してひたすら書く。驕らずに、だが果敢に。必要とあれば何年かかっても書く。焦って書けるものではないからだ。自分にとって自然なペースで、自分なりの頑張り方をする中で実力が育つ。ある域に到達すれば自分でわかる。

そこから先はストーリーテリングに邁進すればいい。

華やかな才能もベテランの渋さもなくていい。よいものを書きさえすれば充分だ。

六つのコア要素を満たせばストーリーは単に「よい」もの以上になるはずだ。

いいものはそこらじゅうに溢れている。出版社や映画会社のメールボックスにも。

何が「よい」かは人による。この業界は矛盾だらけだ。「よい」作家になろうと気負うほど「よい」ものから遠ざかる。

いい文章とは気負わずに書いた文章だ

適切で無駄がなく、プロのレベルで書かれた文章。それがストーリーを読んでもらうために必要だ。編集者に三ページ目以降を読む気にさせる力だ。

読み手に文体を意識させなくなったら合格だ。試合に参加できる。

試合のエースはあなたが作ったストーリーだ。

第8章 ストーリー作りのプロセス

48 書けるようになろう

プロットを立てて書く人もそうでない人も「続きをどうやって決めようか」と悩んだことがあるだろう。

その答えが仕事になる。構成の原則に従って立てたコンセプトや人物、テーマが道を示してくれる。具体的な言葉は浮かばなくても、全体の中の位置から目的や文脈、シーンの基準の見当はつく。好き嫌いはどうあれ、原則が書き手を支えてくれるのは確かだ。

「何を書くべきか」は複雑な疑問だ。そこからまた疑問が生まれる。

◆それはストーリーのどのあたりか？
◆その時に何が起きればドラマ的なテンションが最も高まるか？
◆物事の提示と並行して人物描写をしたか？
◆今あるアイデアは他の選択肢より優れているか？

これらの問いに答えるにはストーリーの続きを把握している必要がある。四つのパートの原則も大事だ。書く内容は（1）設定する（2）設定に対して反応する（3）問題に取り組む（4）問題を解決する、のいずれかだ。この四段階にコンセプト／人物／テーマを反映させてドラマを作る。簡単とは言えないが、ある意味で簡単だ。この原則でストーリーとシーンを作ってきたなら、こうする他はない。自己流に何か作って書き足した瞬間、方向性を見失う。

それに自分で気づかなければ、編集者が気づくだろう。

最も効率的なストーリー作りのツール

意見は人それぞれだから僕は「最高の」とは言わない。だが、ここに紹介するのはストーリーの考案と肉づけがとても効率よくできるテクニックだ。正しく辛抱強く取り組めば原稿の下書きを書かなくてもストーリーが組み立てられる。

それは「ビートシート」と呼ばれるものだ。

シーンの概要を簡潔な言葉で書き並べたもので、ストーリーのビート（ひとまとまり）を書くためビートシートと呼ばれている。このシート上で内容を削ったり、付け足したり、ふくらませたりして調整する。構成の原則に合わせ、シーンのドラマ性を引き出すことも意識する。

純然たるストーリーの計画方法だ。

なぜこれがうまくいくかと言うと、いずれ必要になる作業がここでできるからだ。

いきなり原稿を書きながら続きを考えるのが非効率的な理由はすでに述べた。書きながら構想を練ると、結局何度も書き直すことになる。

ビートシートを作れば初稿の完成度が高まる。少しの手直しだけで自信をもって応募できる形になるだろう。構成の原則とコア要素に馴染んでくれれば、この方法の価値に気づくはずだ。

ストーリーのビートを見つける

ビートシートはストーリーの空中分解を未然に防いでくれる。

書き方を説明しよう。思いつくシーンをすべて箇条書きにし、内容を簡潔に書く。シーンの形になっていない場合はラフなアイデアで構わない。全部で仮に六十シーンあれば六十個を書き並べ、使命や内容を書いていく。

パソコンで作成してもいいし、ノートに手書きしてもいい。付箋に書いて壁に貼ったり、カードを床に並べてもいい。どんな形でもストーリーが俯瞰で眺められればよい。

眺めることができれば直せる。最適化ができる。自信をもってクリエイティブな構想ができる。

僕はアクロバット飛行隊ブルーエンジェルスのドキュメンタリーに感動したことがある。生え抜きのパイロットたちが毎回ショーの準備をする過程がすごいのだ。六機のF／A-18ホーネッツの連携をしくじれば死の危険さえある。彼らは毎回机を囲み、飛行の手順と流れを綿密に話し合う。ハイテクな言葉は出てこない。リーダーが一つひとつの動きや全体の流れを読み上げるのを、みな目を閉じて聞く。リーダーは穏やかに、だがはっきりと動きを説明し、スティック調整の仕方や動きの遷移を伝える。何をどうするかを確認し、リズムやニュアンスも伝える。チームはストーリーの流れを把握する。パワフルで美しい飛行ショーはこの綿密な打ち合わせの賜物だ。

ストーリーの構想とは脳内で一つひとつの動きを把握しようと努めることだから、こうしたアプローチが役に立つ。「どうなるかわからないけど飛んでみよう、その方が自由で楽しい」と無計画に始めて、失敗するたび一からやり直すよりはるかに楽だ。

原稿を書く代わりに付箋でシミュレーションすると簡単だ。全体の流れができたら付箋を捨てるだけでいい。

草稿前のビートシート

ビートシートができたら四つのパートと転換点を決める。この時に内容を変えたくなることが多い。全体の構成のリズムやバランスを見ながら変える。

シーンが順にうまく収まったら、後はのびのび書くだけだ。

草稿後のビートシート

原稿執筆の途中で行き詰まる時もある。構想時に感じたよさがうまく出せない。そんな時は再度ビートシートで流れを確認すれば改善策が見えてくるはずだ。パンツァータイプの人にも役立つ。スランプに陥ったらストーリーをビートシートに起こしてみるといい。

これをするのは一度きりだ。ビートシートで全体を俯瞰すれば、その効果に驚くはずだ。次回からは無計画に書く方が難しくなり、効率を追求した準備がしたくなるだろう。

ビートシートからアウトラインが作れる

アウトラインは思うほど面倒なものではない。苦手意識をなくせば活用できる。アウトラインはビートシートの発展形なのだ。ビートシートの記述をもとに、各シーンの概要を一段落ほどで書けばいい。慣れてくればビートシートから直接原稿を起こせるようになる。

シーンに対してクリエイティブなビジョンがあれば、文章として書くのは難しくない。ビートシートを作る時はビートからビートに思考が飛んでいたはずだが、徐々に各シーンの短い描写ができるようになってくる。一つのビートが次のビートにつながり、ストーリーの流れが映画のように想像できるようになる。非常にパワフルな方法だ。

例として、同じストーリーのビートシートを二種類挙げておく。一つは「ここで主人公紹介」といった、どんなストーリーにも当てはまる汎用タイプ。もう一つは特定のストーリーの内容を反映するタイプ。「主人公紹介」の代わりに「職場にいるジャック」のようになる。

例ではストーリーのパート1、プロットポイント1を含めて十二シーン程度と見つもることにする。ビートを次々と書きながら、必要なだけシーンを追加する。後で増減しても構わない。

今はまだストーリーの中で起こしたい出来事を点で示しただけの状態だ。自由に書きたいタイプの人はすでに不自由を感じるかもしれないが、いつかはこのように考え、物語を整理する必要がある。物語の肉づけは自由にできる。

ビートシートは試行錯誤のためのツールでもある。試行錯誤は原稿上でもできるが時間と労力がかかる。大きな船では進路変更が大変だが、ビートシートはモーターボートのように小回りがきく。

ビートシートやアウトラインを作る前に、ストーリーを簡潔に言えるように（エレベーター・ピッチと呼ばれる）準備しよう。

例えば次のように要約する。

主人公が妻の浮気を調査中、妻を殺した犯人と間違われるような状況に陥ったとしたら？　警察にも真犯人にもばれないように真相を究明し、自らの無実を証明せねばならない。

このストーリーのパート1（設定）のビートシートは次のようになるだろう。

1　プロローグ――これから起きる問題のプレビュー。
2　問題発生前の人物とその暮らしぶりの紹介。
3　プロットポイント1までの人物の状況と、何が危機に晒されているか。
4　忍び寄る敵の存在（伏線）。

5　主人公の心の闇が初めてかすかに表れる。
6　不安を抱えて闇と対峙。彼の弱点が露呈。
7　警告されるが意味に気づかない。
8　危険に気づかず相手と対峙。
9　はぐらかされる。
10　自分でこっそり確かめようとする。
11　闇に襲われすべてが変わる。
12　濡れ衣を着せられたと気づく（プロットポイント1）。

汎用タイプのビートシートはどんなストーリーにも使える。エレベーター・ピッチの内容とは異なる話にも応用できる。

試しに既存のストーリーを分解し、汎用ビートシートを作ってみるといい。それを自分のストーリーに当てはめ、流れを考えてみよう。

他人のアイデアを盗むのとは違う。他のストーリーでうまくいくなら、自分の作品のドラマ展開にも使えるのではないか、ということだ。特に、続きを考えるのに苦労する時は役に立つ。

汎用ビートシートができたら自分なりの情報を付け足せばいい。

ストーリーに特化したビートシート

次に、ストーリーに特化したビートシートを紹介しよう。汎用ビートシートと流れは同じだが、具体的なシーンのアイデアが書いてある。ストーリーの計画の始まりだ。

1 ホテルで男女が熱い情事。テーブルに男の財布と女の結婚指輪。これはプロローグ。二人が何者かはわからない。

2 主人公登場。彼は妻が開いたブティックを切り盛りしている。店の顔は妻だが実務は彼に任され、忙しい。

3 華やかな妻に冷遇される主人公。それを従業員らは知っている。不穏な空気。

4 妻は「会議がある」と外出。出がけに夫にキスをし、ホテルで愛人と密会。店の従業員が目撃する。

5 従業員は主人公にさりげなく伝えようとする。従業員は主人公に好意を抱いている（伏線）。

6 数日後、主人公は妻を尾行するが証拠はつかめない。

7 主人公は妻を問い詰める。妻は疑惑を否定。夫婦は口論。

8 主人公は妻の写真を持ちホテルへ。ベルボーイは妻に見覚えがあった。

9 妻は「そのホテルで会議をしていた」と反論。口論は激化。

10　従業員は主人公に「浮気相手の男を見た」と言う。主人公の心にかすかな好意。従業員の心も揺れる（伏線）。

11　主人公は従業員から再び情報を得て妻を尾行。前回とは別のホテル。部屋に入ると……妻の死体を発見。うかつにも室内の物に触れてしまう。警察に通報し……

12　ロビーで待つ主人公。従業員は彼の手を引いて物陰へ。彼女は「すべては愛人の策略であなたが容疑者にされている。無実が証明できるまで隠れていて。事情は後で説明する」と言う。

十二のビートは原稿の最初の六十～七十五ページ分だ。

この後、真犯人は従業員とわかる。愛人の犯行に見せかけて妻を殺し、主人公に近づこうとした。ビートシートは常に書き換えて改善を続ける。

それをやめれば、それ以上は発展しない。ストーリーがうまく流れるまで練るべきだ。

ビートシートの展開

ビートシートでストーリーの案を足したり引いたりするうちに、点が線になってくる。危機感やペースを上げる場所、人物に注目する場所などを設けつつ、人物のアークを作って読者の感情体験を深めよう。

計画せずに書いてきて何かが足りない、ペースが悪いと感じたら、ビートシートを作って流れを検証しよう。内容に問題はないはずなのに、何が原因かわからない時におすすめだ。後に来るプロットポイントやエンディングを決めていないと伏線が張れず、テンションやペースが作りづらくなる。

ビートシートはクリエイティブな意思決定を助けてくれる。ブレインストーミングや似たストーリーの分解、部分的な草稿と併用するとストーリー全体が見えてくる。好みの方法を見つけてほしい。

考える過程は柔軟でいい。ビートシートが最も効率いいと思う人もいるだろう。

49 パンツァーのための計画ガイド

執筆前のプランニングの是非でいくつか気づいたことがある。結局、どちらも変わらないのだが。パンツァーは人の話を聞かない。「主要なストーリーポイントを決めてから書く」と言うと怒り、無駄だと決めつける。「私はそうはしたくない」と言う。飛行機に乗ったことがないから飛べない、クルマで行く、と言うようなものだ。

飛べないのではなく、飛ぼうとしないのだ。アメリカの端から端まで五日間かけてドライブする。それは好みであり、その人の選択だ。

移動時間は飛行機の十倍かかる。原稿執筆も計画なしだと十倍の時間がかかるだろう。行き先は同じでも、何のために向かっているかがわからなくなるかもしれない。

実は、誰もがみな同じことをしているのだ。

それをどう呼ぼうが、避けては通れないものがある。

続きを決めないで原稿を書きながらストーリーを作り、勘とひらめきに従って章を書く。それもまたストーリーの計画だ。その呼び方が嫌いでも、やはりプランニングには変わらない。パンツィングを方法として選ぶなら、その結果も受け入れねばならない。

実際、パンツィングでもうまくいく

手術には試験開腹と目標を絞った手術がある。前者は「開けてみないとわからない」。中を見ながらリアルタイムで判断し、進めていく。後者は事前に検査結果を揃え、手術室に入ってすぐターゲットに向かう。出血量も麻酔時間も最小限になるよう計算する。

「何を、なぜするか」がわかるまでストーリーの命は危険な状態にある。救おうとして死なせてしまうこともある。

同じ腫瘍を摘出するのでも、試験開腹の方が時間がかかる。リスクも大きい。

どちらの場合も医師は手術の性質と内容を知っている。だからどちらも成立する。だが、ストーリー作りはそうはいかない。作者が自分の行動を理解していない時もある。何をどこに、なぜ入れるべきかを知れば、最小限の計画で確信をもって先に進めるはずだ。

逆に、ストーリーの構成を知らない人ほど事前の計画をしない。何を計画していいかもわからないからだ。

転換点とアークが適切でないとストーリーは成り立たない。「適切なものなんてあるわけない」と拒否して奔放に書こうとし、多くの人が失敗する。

有名な作家の名を挙げて自分を正当化しようとする人もいる。だが、その有名作家たちはストーリーの原則を使いこなす名人だ。熟練パイロットのようにフライトプランなしですべてに対処ができる。目的地到着までに必要なことを離陸前にすべて頭の中で把握している。

パンツィングの致命的な欠点

最初からないものは完成できない。どこに到達させるか知らなければ、それに向けて機能する原稿は書けない。試しの下書きは別として、目指すものを決めずに書けば後で大々的な書き直しが必要になる。

再度言おう。全体の六割ほどを書き終えてからエンディングを考えるとする。そこから新たに流れを作ると前後の整合性は失われる。うまくいかない。

最初に戻って書き直すほかない。ディテールや文脈、伏線を意識して書き直しても、文章の切れ味は出しにくく、洗練させるのは難しい。エンディングが決まるまで転換点の理想的な位置はわからない。

だが、怯えなくてもいい。

両刀使いも可能だ

事前に九つの項目を念頭に置けば、書きながら自由に考えるスタイルを維持しつつ、行き詰まりの可能性を劇的に減らせる。

たった九つだ。だが、ストーリーについて必ず知っておきたい重要な項目だ。

計画する、しないに関わらず、必要不可欠なものだ。

僕はストーリーの全シーンを計画しないと失敗するとは言っていない。僕を含め、計画を立てる派の人はすべてのシーンの概略をつかんでから書くけれど、そうでない人たちも九つの項目だけは把握しておこう。効率が上がり、成功する可能性も高まる。

執筆前に知っておくべき九つのこと

昔、コメディー俳優スティーヴ・マーティンがこんなジョークを言っていた。「大金持ちになって脱税する方法？　まず百万ドル儲けること」。

引きつった笑いが起きそうだ。

執筆前に知るべき点は二つに大別できる。ストーリーの四つのパート（全体を約四等分）と五つの転換点（ストーリーポイント）だ。

ストーリーが形になり始めると見えてくる。原稿を読み直して探すとなると、かなりの書き直しが必要となるはずだ。

それぞれの箇所に来る「前」に出来事を決めておこう。たった五シーン、五つの転換点だけだ。五つの主要な場面を念頭に入れて自由に書けばいい。執筆のスピードは大幅に上がるだろう。

少なくとも、行き先を決めずにうろうろするよりは効率的だ。

四つのパートとは……

復習になるが、構成の概念を受けつけにくいパンツァータイプの人には役立つはずだ。五つの転換点が決まるまで、四つのパートを掘り下げるのは難しい。

だいたいの目安として、各パートは全体の約二十五パーセントずつ。十二〜十八シーン程度だ。

◆パート1：設定。主人公と舞台設定の紹介、何が揺らいでいるかを描き終え、転機を設ける（プロットポイント1）。主人公の冒険が始まる。何かを求めて進む主人公の姿が物語の中心となる。

◆パート2：新たな旅に対する主人公の反応。以前とは打って変わった状況。主人公は躊躇する。

◆パート3：問題への取り組み。受け身だった主人公が動き出す。ミッドポイントで反撃開始。

◆パート4：解決。主人公は内面の悪魔を克服。対立を解決し、ゴールを達成する。

各パートには、それに合う文脈がある。パート2（反応）で主人公に大活躍させると全体のバランスが悪くなる。これを念頭に置かないと、特にビギナーには計画なしに書くことが難しい。

五つの転換点（ストーリーポイント）とは……

四つのパートの間をつなぐのが転換点だ。パート1の後にプロットポイント1を設け、それに対する反応をパート2で描く。プロットポイント1で何が起き、どこに向かうかを自分で把握すべきだ。他の転換点も同じ仕組みだ。適切な位置で機能させなければストーリーは成立しない。

ストーリーにとって重要な五つの瞬間とは、

オープニングのフック
プロットポイント1
ミッドポイント（流れを変える転機）
プロットポイント2
エンディング

複数のシーンを通して起きる場合もある。特にエンディングはそうだ。主要な転換点を念頭に書くと、他の部分の移行やシフトも自然につかめるだろう。

人物描写はどこに入れるか

答えは「全体に」だ。四つのパートは人物の推移を描くためのロードマップである。何を求めて行動するかを決めて旅をさせていけばいい。そこから逸脱した描写はストーリーにうまくはまらない。

慣れないものは受け入れがたい。人生にも言えることだ。エクササイズやダイエット、人間関係やお金の問題などにも原理原則があるが、痛い目に遭うまで拒否し続ける人もいる（単身者向けのアパートはそんな住民でいっぱいだ）。原則に従うまではゴールに近づけない。

ストーリーを書く時は最低九つのことを意識しよう。そうしなければ頓挫し、理由はわからないままだろう。九つの材料と原則は書く前に作れる。アイデアをカードに書いて並べたり、誰かと飲みながら話したりして試してみよう。ストーリーと人物の構想に役立つはずだ。

50 「いかに書くか」から「なぜ書くか」へ

僕は「ストーリー作りのすべては六つのコア要素のどれかに必ず該当する」と伝えている。もう慣れていただけたと思う。六つのコア要素とは「コンセプト／人物／テーマ／構成／シーンの展開／文体」だ。四つの成分と二つの技術。どれから始めても構わない。売れる作品を書くなら六つすべてを揃えてほしい。一つでも脆弱なら「力作ですが」と言われて不採用だ。

要素の扱い方をマスターしても、まだ苦労する人も多い。読者が全く得られない。コア要素は書く過程で役立つが、表現の美的な部分はカバーしない。

六つのコア要素は技術だ。

運は腕と根性で開けるとしても、その他の部分は自分でどうにかせねばならない。その道は回り回って六つのコア要素の理解に戻る。

僕はアリゾナ州フェニックスに部屋を持っている。僕は昔マイナーリーグの投手で、今でも大リーグの春季キャンプを見物する野球ファンだ。リーグ入りを目指す若者が毎年何百人もやってくる。基礎能力は粒ぞろいで、誰もがメジャー入りにふさわしい。だが、夢を叶えるのはたった二十五人だ。過去の評価で選ばれる人もいる。飛びぬけてすごくはないが安定していて信頼される人たちだ。離脱した選手の後釜に座る人もいれば、実力でトップに上り詰める人もいる。上の選手をしのぐ力があるにも関わらず、マイナーリーグで無名のままの人もいる。

野球には人生が見える。僕にとって、野球は作家業とも重なって見える。共通点は大きく、はっとさせられる。

作家の世界にも競争がある。基礎能力は春季キャンプの招待状でしかない。大勢の中で勝ち抜くために何か突出したものが必要だ。ただ「いい」だけでなく、他を大きく引き離す力が要る。ベストセラーの常連作家も一つはそういうものをもっている。無名の作家も競争を勝ち抜くために同じことをしているのかもしれないが。

売れるかどうかは運かもしれない。だが、成功している作家はストーリーを作る時、重要な局面で何をすべきか見抜く勘を養っている。

彼らの存在を別格にするのはその勘だ。たとえ文体やコンセプトが平凡でも、優れた作家はそれに付加価値を与える術を知り、本能的な洞察力でまとめ上げる。優れた芸術性を与え、六つのコア要素を超越したセンスで作品を完成させる。

彼らは機を逃さない。そこが他の人々との圧倒的な差だ。たとえ執筆に何年かかっても、彼らは当然のようにやり遂げる。六つのコア要素を使い、そうした資質を培ってほしい。

方法を教えてくれる人はいない。だが、六つのコア要素がツールや基準を与えてくれる。

ただし、そこから先を教えてくれる本やワークショップはない。自分の中で探し、呼び起こし、育てなくてはならない。

そこで矛盾が残る

鋭い勘がなくては六つのコア要素があっても出版に至らない。六つのコア要素がなくては勘を作品という形にできない。だから、夢を叶える道はあるのだ。素晴らしく、希望に満ちたパラドクスだ。

懸命に培った技術と芸術が融合すると、説明しがたいマジックが起きる。それが勘であり、天性の素質だ。六つのコア要素を習得するまで勘は休眠したままだ。

あなたには道具がある。これまでに、またこれから読んだり学んだりするすべてのことをストーリー作りの意識に組み込もう。世界こそ学びの場だ。メモを取り始めよう。

そして追求しよう。掘り下げよう。本を読んだり映画を観たりする時も、コア要素を探し続けよう。それ以上に大切なのは、自分の中で「これだ」と直感できる書き方をすることだ。何百万語も書き続ければ、やがて自然に原稿にも表れる。

そして原則に従って書けば、一年目でホームランが打てるかもしれない。

なぜ僕らは書くのか

僕らはラッキーだ。とても。僕らは作家だ。

祝福より呪いだと感じる時もあるだろう。人に馬鹿にされる時もあるだろう。書かない人にとって僕らは趣味人、はかない夢追い人に見えるだろう。

だとしたら、彼らの目は節穴だ。本当に書いているなら夢はもう叶っている。書籍化や映画化はされていなくても、書くことで得られる真の報酬は自分の内側にある。夢が実現するに越したことはない。だが、プロの作家も全く同じ苦しみを抱えて仕事をしている。本当だ。いいストーリーを語るための苦労も気持ちもデビュー前の人たちと変わらない。「気がついたら売れていました」という人もいるが、彼らはいまだに妖精が登場人物を動かすと信じている。

ともかく、誰にとっても過程がある。

あなただって、そうだ。

あなたは作家だ。知識を得た作家だ。それをまず祝おう。そして書こう。あとはなるようになる。

人生こそ心の糧だ。作家は人間の体験を書き綴る。そのためには深く見て感じなくてはならない。作家が人間として優れているわけではないことは、文豪たちの伝記を読めば明らかだ。だが、他の人々とは違った感性で生きている。意味を考え、言葉の裏を考える。人が気づかないことに気づく。

時に涙し、時に笑い、魂の真実に迫ることが成長だと思うなら、作家の自負がその体験を鮮やかにしてくれる。僕らは生き、観察をすることで、人に読んでもらう価値ある文章を書く。

人を楽しませたくて書く時もそうだ。何を書こうと、僕らは世界に向かって手を伸ばす。一人じゃないんだ、分かち合うことがあるんだ、伝えたいことがあるんだ、と宣言する。書いたものが誰にも読まれなくても文章は残る。自分が思う真実を書いたのだから。確かにそれは大切なことだったのだから。

だから情熱をもってどんどん書こう。常に楽しみながら、満足できるものを書こう。何を書く時も六つのコア要素を覚えていてほしい。

自分で自分を苦しめるのはもう終わり。じゃまな天井は消えてなくなる。

夢を生きよう。ストーリーを書こう。そして作家になろう。

訳者あとがき

「本の書き方」の本なんて山ほどあるから、もう要らない――著者ラリーさんと同様に、私もそう思いました。二〇一三年に『アウトラインから書く小説再入門』、その翌年に小説の構成術を説いた続編（共にK・M・ワイランド著、フィルムアート社）を翻訳させて頂いたところ、多くのご支持の声に混じって「小説を自由に書いて何が悪い」「映画と小説は違う」というお怒りの声もありました。「ハリウッド映画の脚本術を生かせば、読みやすくて感動できる小説が効率的に書けるはず。しかも映画化しやすく商業的な可能性も広がる」と私は前から思っており、口に出して言ってみたこともありました。でも、直接的な手ごたえを感じる機会はあまりなく、いつしか私は口を閉ざすようになったのです。

ですから、フィルムアート社編集部の山本純也さんより「面白くて魅力的な物語を書くための本を出しませんか」とお声をかけて頂いた時、私は物語創作のハウツーを伝えること自体を諦めてしまっていました。本書の原題は『Story Engineering:Mastering the 6 Core Competencies of Successful Writing』で、初版は二〇一一年。アメリカ本国で大好評だったため私の記憶に強く残っていた一冊で、翻訳させて頂けたらと考えていたこともありました。「この本なら、ぜひ」と即座に心が決まり、翻訳作業に取りかからせて頂きました。

物語を構築する際、要素を六つに分けて考える方法は非常にわかりやすいと思います。これを知れば、アイデアを思いついて「書きたい！」と胸が躍ったものの物語にできない歯がゆさに終止符が打てるに違いありません。また、私が個人的に驚いたのは人物作りのノウハウです。仕事柄、心理学を紐解く機会も多いのですが、人間関係で難しい問題が起きた時に「三つの次元」を考え、「あーっ！」と声を上げたくなるほどの発見を日々させて頂いています。

物語創作をあらゆる角度から捉えるラリーさんの視点は書き手にとって心強いものでしょう。本書に続き、アイデアやコンセプトなどをさらに掘り下げて説いた『Story Physics（ストーリーの物理学）』、著者が過去三年間で六百作品以上を添削、指導した経験から原稿を直す秘訣を述べた『Story Fix（ストーリーの修理）』が出版されています。著者が運営するウェブサイトStoryfix.com（英語）にも映画の脚本術を小説の執筆に融合させるためのヒントが満載です。

ぐいぐい引き込む力があって、心が動くストーリーは小説になり、映画になり、世界中の人々に愛されることでしょう。ぜひ、本書をお役に立てて頂けますように。最後になりましたが、この本の制作に携わって下さいましたすべての方に心から御礼申し上げます。ありがとうございました。

二〇一八年四月四日

シカ・マッケンジー

［著者略歴］

ラリー・ブルックス（Larry Brooks）

心理スリラー小説『Darkness Bound』『Pressure Points』『Serpent's Dance』など六作品の著作を持つベストセラー作家。物語創作のインストラクターおよびフリーランス編集者としても活動。自らが運営するStoryfix.comは書き手に役立つウェブサイトとして好評を博している。本書の続編として、ストーリーを構想する際のテクニックをさらに掘り下げた『Story Physics（ストーリーの物理学）』、落選した作品を見直す際の着眼点を挙げて改善へと導く『Story Fix（ストーリーの修理）』が既刊。物語創作の要点を語る論理的な視点とベストセラー作品の鋭い分析で多くのファンを獲得している。

［訳者略歴］

シカ・マッケンジー（Shika Mackenzie）

関西学院大学社会学部卒。「演技の手法は英語教育に取り入れられる」とひらめき、一九九九年渡米。以後ロサンゼルスと日本を往復しながら、俳優、通訳、翻訳者として活動。教育の現場では、俳優や映画監督の育成にあたる。ウェブサイト英語劇ドットコムを通じ、表現活動のコンサルティングも行なっている。訳書に文化庁日本文学普及事業作品『The Tokyo Zodiac Murders』（英訳、共訳）、『魂の演技レッスン22』『〝役を生きる〟演技レッスン』、『監督と俳優のコミュニケーション術』、『監督のリーダーシップ術』、『新しい主人公の作り方』、『ストラクチャーから書く小説再入門』、『クリエイターのための占星術』『世界を創る女神の物語』（フィルムアート社）他。

工学的ストーリー創作入門　売れる物語を書くために必要な6つの要素

二〇一八年四月二四日初版発行
二〇一八年九月一〇日第二刷

著者　ラリー・ブルックス
訳者　シカ・マッケンジー

発行者　上原哲郎
発行所　株式会社フィルムアート社
〒一五〇-〇〇二二　東京都渋谷区恵比寿南一-二〇-六　第二一荒井ビル
電話　〇三-五七二五-二〇〇一　ファックス　〇三-五七二五-二六二六
http://www.filmart.co.jp/

編集　山本純也（フィルムアート社）
ブックデザイン　長田年伸
印刷・製本　シナノ印刷株式会社

　ISBN978-4-8459-1722-8 C0090